たかがニュース
されどニュース

――報道から見える現在の日本――

水谷 修

Osamu Mizutani

第三文明社

はじめに

日々、私たちのまわりでは多くのニュースが報道され、新聞、テレビ、週刊誌、インターネットなどを通じて、私たちのもとに届きます。その内容は、事故・事件から国内情勢、経済、政治、国際情勢、さらに文化、娯楽《ごらく》、芸能などについても幅広く報道されています。

ほとんどの人は日々、間違いなくこれらを目にし、情報を手に入れているはずです。そして、その情報を疑うことなく信じ、「ああ、こういうことがあったのか」と納得し、そのうえで自分なりに怒ったり、悲しんだり、喜んだりしているはずです。「この報道は嘘《うそ》だろう？」と最初から疑う人はいないでしょう。

でも、これらの情報は、本当に真実をきちんと報道しているのでしょうか。

私は、新聞への執筆《しっぴつ》、テレビ出演、雑誌などへの寄稿《きこう》と、報道に30年近くかかわってきました。まさに報道する側を見てきた人間の一人です。

新聞やテレビの場合は、報道する側が何人もの記者や専門家に確認をとりながら、間違いのない正確な情報を伝えようと日々努力しています。間違いがあった場合は速《すみ》やかに訂正と謝罪を行っています。それでも、私の目から見て、ミスリード（誤解を招《まね》くような報道）は多く存在します。とくに政治や国際情勢において目立ちます。これがインターネットや週刊誌となると、「ここまで報道するのか」というような内容や、ミスリードどころか完全に誤《あやま》った報道が流されることも多々あります。

みなさんの中には、「たかがニュース」——別にそんな報道で誤解しても、騙《だま》されても、自分の日々の生活にはたいした影響はない――と考える人がいるかもしれません。しかし、本当にそうでしょうか。

たとえば、国政選挙の前に政権側のマイナスになりそうな情報を意図的に報道され続ければ、確実にその選挙結果に大きな影響を与えます。また、刑事事件についても、真実かどうかもわからない被告《ひこく》のそれまでの素行《そこう》や、そのまわりにいたと語る人間からの被告を批判《ひはん》するような内容が報道されれば、それは裁判員裁判の判断に大きな影響を与えてしまいます。

私は、報道を見る人あるいは読む人、つまり、ほとんどすべての人に、さまざまなメディアが流し続けているあらゆる報道を確認・検証《けんしょう》し、正確に情報を捉《とら》え、その背景を考えて判断することが求められていると感じています。

かつては新聞やテレビが報道の主流であり、そこには一定の検証がなされていました。だからこそ、それほど大きな誤解や間違いはありませんでした。とはいっても、新聞やテレビにも政権寄りの報道をする新聞社やテレビ局、また その反対に政権批判の報道をする新聞社やテレビ局があり、とくに国政選挙の前には、どう見ても意図《いと》的《てき》で恣意《しい》的な報道はされてきました。それでも一定の歯止めはかかっています。しかし、現在はインターネットなどで、報道と呼んでいいのかわからないような偏向《へんこう》した、あるいは意図的・恣意的に書かれた困った記事もたくさん流されています。私たちは、それらの情報を信じ、それらに踊らされてはならないのです。

報道は恐ろしい。一国の政権を揺《ゆ》るがすどころか、倒《たお》すこともできます。アメリカの大統領選を見ていれば、これは明白《めいはく》だと思います。

また、経済を即座《そくざ》に動かすこともできます。これは経済記事と株価が緊密《きんみつ》に、しかも即時的に連動していることを見れば明らかです。それだけでなく、国と国との関係を最悪な状況まで追い詰《つ》めることも、極端《きょくたん》に言えば、戦争まで持っていくこともできます。1人の人間を社会的に葬《ほうむ》ることも、その命を奪《うば》うことすらできます。

みなさん、たしかに報道は、「たかがニュース」です。しかし、「されどニュース」でもあるのです。

近代市民国家は「三権分立」を基本にして始まったと言われています。つまり、それまでは君主が独占していた立法権、司法権、行政権をそれぞれ分離して、国民の代表が国家を運営していくことによって権力を分散し、お互いがそれぞれを監視《かんし》・牽制《けんせい》していく中で、国家を国民のためのものとして存続《そんぞく》させていくという在《あ》り方が、近代市民国家をつくり出しました。

しかし、現代では第4の権力が生まれ、それが国民の自由を守り、国家が独走することを押さえ込《こ》んでいると言われています。まさに、その第4の権力こそが「報道」なのです。

本書は、この2年間に国内で報道されたいくつかのニュースを私がどのように捉え、そしてどうすべきかを考え、まとめたものです。たぶん、賛成する部分もあるでしょうが、反対である部分も、それどころか「こんな見方、考え方があったのか！」と驚《おどろ》く部分も、さらに「こんな考え方は許《ゆる》せない！」と怒《おこ》る部分もあるでしょう。

私は、それでいいと考えています。あくまで私個人の意見をまとめたものです。しかし、必ず、みなさんの役に立つものだと確信しています。

ぜひ、この本を通して報道と自分自身のかかわり方を見直してみてください。また、報道のすばらしさと同時に、恐ろしさを感じてください。

みなさんが、現在の日本が抱《かか》えるさまざまな問題について考えるきっかけになれば幸いです。

水谷 修

たかがニュース　されどニュース

――報道から見える現在の日本――

第1章　令和の事件簿

Part.1

2019年（令和元年）

Part.2
2020年（令和2年）

第２章　新型コロナに翻弄された日々

第3章　大切な子どもたちを守れ！

第1章

令和の事件簿

Part.1 2019年（令和元年）

※令和元年は2019年5月1日からですが、ここでは便宜上、平成31年1月から4月までのものも含みます。

車は、走る凶器

まもなく平成が終わり、令和《れいわ》という新しい時代が始まろうとしていた矢先の２０１９年４月19日、東京・池袋で痛《いた》ましい事故が起きました。当時87歳の男性が運転する乗用車が暴走して通行人を次々とはね、母親と３歳の女児が死亡、９人が重軽傷を負《お》うという大惨事《だいさんじ》です。まさに車は、走る凶器《きょうき》でした。

この事故をきっかけに高齢者ドライバーによるブレーキとアクセルの踏《ふ》み間違いによる事故や、運転中の意識障害による事故が次々と報道され、社会問題となりました。そして、高齢ドライバーの自主的な免許返納《へんのう》も急増したのです。

これを踏まえて、経済産業省や国土交通省は各自動車メーカーと官民連携《かんみんれんけい》で進めていた「セーフティ・サポートカー（=サポカー）」（衝突《しょうとつ》被害軽減ブレーキやペダル踏み間違い急発進抑制《よくせい》装置などを搭載した車）の普及・啓発《けいはつ》を一層、強化することとなりました。

もう1つ、車に関して世間を震撼《しんかん》させたものに「あおり運転」があります。

２０１８年12月、東名高速夫婦死亡事故（「東名あおり事故」とも呼ばれる）の加害者に対して、横浜地方裁判所が危険運転致死傷罪《ちししょうざい》と認定し、懲役《ちょうえき》18年の判決を言い渡したことが報道されました。

この事件は２０１７年６月に起きました。パーキングエリアで指定駐車場所ではないところに車を止めたことを注意された加害者が、注意した人の運転する車両を追いかけ、通行妨害《ぼうがい》や直前の車線変更などのあおり運転を繰り返した。さらに高速道路上で前をふさいで強制的に車を止めさせ、運転席にいた男性に暴行した。その後、加害者が自分の車に戻ろうとしたとき、止まっていた被害者の車に大型トレーラーが追突《ついとつ》。被害者の男性とその妻が死亡し、同乗していた娘２人と、あおり行為をした加害者、そして加害者の車に同乗していた女性が重軽傷を負ったという事件です。この事件をきっかけとして、「あおり運転」が社会的問題となりました。

この事件が報道されたとき、私は道路交通法で裁《さば》くのか、刑法で裁くのか、それが気になりました。結果的には道路交通法で裁かれることとなりましたが、これには疑問があります。

多くの車が高速で走行している高速道路上で、無理矢理ほかの人の車を停止させれば、後続の車が衝突する可能性は非常に高く、危険な行為《こうい》です。当然、今回のように衝突によって命が失われる危険性は予見《よけん》できるし、予見しなければなりません。それなのに、このような危険な行為を行ったことは、故意《こい》に人を死に追いやった刑法での殺人罪に該当《がいとう》するのではないかと考えたからです。

たとえば、相手の車の進路をふさいで踏切上に停止させ、列車に衝突して命が失われたという事故が起こったとすれば、この場合、まず間違いなく刑法上の殺人罪で裁かれるはずです。今回のケースも、踏切と高速道路と場所は異《こと》なりますが、同様だと私は考えました。

私も免許を取得してから46年間、車を運転してきましたが、数え切れないほど、ほかの車からあおられたり、嫌《いや》がらせを受けたことがあります。みなさんもそんな経験がたくさんあるはずです。このあおり行為について、それをきちんと取り締《し》まり、罰する法律が不整備でした。これは、あおり行為が当事者と彼らの車の問題であり、その証拠や第三者による証言を得ることが難《むずか》しいという現実があったからです。

しかし、最近では車の前方や後方を映像として記録できるドライブレコーダーの設置が増え、その映像がテレビなどで報道されることにより、あおり運転の現状や危険性が、当事者だけでなく国の問題として扱《あつか》われるようになりました。報道の力だと考えます。

運転免許センターで必ず教えられることがあります。それは、「車は便利な道具であるけれど、ひとつ間違えれば人を傷つけ、命を奪う凶器となる」ということです。だからこそ、車を運転する人は常に平静《へいせい》に法律を遵守《じゅんしゅ》し、万全の注意を払いながら運転しなくてはならないのです。

「車は、走る凶器」であるという事実を、多くの人に突きつけた事件でした。

追記

この「あおり運転」については、この事件の後、「公明党あおり運転防止対策プロジェクトチーム」（座長・岡本三成衆議院議員）が法案を作成し、２０２０

年６月２日に国会で「あおり運転に関する行為（妨害運転）を処罰する改正道路交通法」が成立。「１日も早く国民の命と安全を守るために早急な施行《しこう》が必要である」との岡本議員らの働きかけもあり、同月30日から施行されるなど、異例《いれい》のスピードで実現しました。

これによって「あおり運転」をした運転者は最大で5年以下の懲役または１００万円以下の罰金、そして運転免許が取り消されることになりました。

このところ、「あおり運転」されることがなくなったと考えている人は、私だけではないはずです。法律改正による厳罰化、ドライブレコーダーによる可視化《かしか》、警察による取り締まりの強化、この3点が、実際に成果を上げています。

私のように60歳を過ぎ、安全にゆったりと車を運転したい人にとっては最高のプレゼントです。

同僚教員へのいじめ問題について

２０１９年２月、神戸市立東《ひがし》須磨《すま》小学校で４人の教員が同僚《どうりょう》の複数の教員に対してさまざまな「いじめ」を繰り返し、そのうちの１人が精神的に追い詰められ、学校を休んでいることが明らかになりました。現在、神戸市教育委員会が調査を進め、該当加害教員の処分を検討しています。

しかし、これは「いじめ」なのでしょうか。激辛《げきから》カレーを身体や目にこすりつける行為は傷害罪《しょうがいざい》にあたりますし、車を傷つける行為は器物損壊《きぶつそんかい》であり、立派な犯罪です。だいたい「いじめ」ということばは、学校においては児童・生徒間で起きる行為を意味するものではないでしょうか。

これまでの報道では、神戸市教育委員会は、あくまで学校での「いじめ」問題として扱いたいようですが、これはおかしい。きちんと警察の力を借りて犯罪として立件《りっけん》すべきです。また、法務省人権擁護《じんけんようご》局に通報し、人権侵犯《しんぱん》事件として立件すべきです。

現在、被害を受けた教員が警察に相談して告訴《こくそ》を考えているようですが、これは本来、教育委員会がすべきことです。この４人の教員のしたことは犯罪です。これらの行為は長期にわたってなされ、被害教員は校長にも相談していたと報道されています。校長はそのときになぜ、きちんと教育委員会と警察に報告し、その力を借りて解決にあたらなかったのか。自己保身と言われても、犯人蔵匿《ぞうとく》（隠避《いんぴ》）ととられても仕方ありません。その結果、被害を受けた教員は、さらに精神的に追い詰められています。

また、気になるのは、この小学校のほかの教員たちの動向です。これだけの事件ですから気づいていないはずはない。気づいていたのに放置していたならば、それは、この「いじめ」と称《しょう》する犯罪に加担《かたん》したのと同じではないでしょうか。子どもたちには、「いじめを見て見ぬふりをすることは、いじめに参加しているのと同じだ」と教えている教員が、まさにそれをしていたのではないでしょうか。

日本全国の学校で、児童・生徒間での「いじめ」が大きく問題となっている状況下で、学校でこのような行為が行われたことは許されることではありません。「いじめ」をしてはいけないと指導する立場の教員によってこのような問題が起き、それをきちんと取り締まり、対応することができないこの小学校で、今後どうやって子どもたちへの指導ができるのでしょうか。

神戸市教育委員会は速やかに第三者委員会を設置し、この問題についてきちんと事実関係を把握《はあく》し、それを児童、保護者や市民に報告し、該当加害教員には刑法犯として司法の場で裁きを受けさせ、管理職やほかの教員に対しても処分・指導をすべきです。それと同時に、この小学校の管理職や職員を一新し、新たにきちんとした体制で教育活動を行うべきです。

神戸市教育委員会は、自ら崩壊した

２０１９年10月29日、神戸市議会は神戸市立小学校で起きた同僚教員へのいじめ事件に関し、条例の改正によって加害側の教員４名に対して給与を差し止める分限《ぶんげん》休職《きゅうしょく》処分《しょぶん》を決定しました。これは戦後の民主主義教育に対する冒瀆《ぼうとく》であり、歴史に残る暴挙《ぼうきょ》です。

教育委員会というのは、戦前の国家による統制教育に対する反省から、それぞれの自治体（都道府県・市区町村）の中に組織され、しかも知事や市区町村長からの直接の関与を抑《おさ》えるために独立した行政権を保護されています。当然、教員は自治体からの関与を受けることなく働ける権利を有しています。それが戦後の民主教育を守ってきました。

しかし、神戸市教育委員会は今回、「教育の独立」という大切な権利を自ら捨て去り、行政にひれ伏《ふ》しました。まさに行政による教育の管理・支配という最悪の先例をつくってしまったのです。

今回の事件において、４人の加害教員が週刊誌やメディアで報道されているようなことをしていたとしたら、それは許されることではありません。しかし、それに対して教育委員会は事実関係をきちんと調査・公表していません。

たしかに第三者委員会は組織されました。でも、それは客観的な事実把握のためのものでした。それに先だって、教育委員会は被害教員や関係者からきちんとした事実関係を聴取《ちょうしゅ》し、また４人の加害教員からも事実確認する義務があります。これまでの報道では、それがなされたのかどうかわかりません。ましてや、加害者は４人だけだったのか？　被害者は１人なのか？　ほかの教員たちは知っていたのか？　管理職は？　教育委員会は？

　このようないい加減な状況の中で４人だけを加害者と決め、（教育委員会という）独立した組織が、大切な仲間に対して市議会でこのような処分を決定することを許すというのは、あり得《え》ないことです。

　その背景には、加害者とされている４人の教員に対するメディアやネットにおけるリンチ（制裁《せいさい》）があるでしょう。これも許されることではありません。事実関係や背景もわからないまま、この４人を袋叩《ふくろだた》きにすることは、それ自体がいじめやリンチです。法的にも許されることではありません。

　しかし、これも神戸市教育委員会が何もしていないからなのです。なぜ、このようなリンチに対して、それを止めないのか。なぜ、この４人を市議会や市長が勝手に処分することに異議《いぎ》を唱《とな》えないのか。私には理解できません。この４人だけを裁いて責任逃れをしたいのだと受けとられても仕方がないでしょう。

最後につけ加えます。

この事件を「いじめ」と書いている人たち（または読んでいる人たち）に言いたいことがあります。いままでの報道がすべて事実ならば、この事件は「いじめ」ではなく、法的に裁かれるべき「犯罪」です。「いじめ」ということばを安易《あんい》に使わないでください。このような行為を子どもたちが「いじめ」と理解したら、大変なことになります。

追記

２０２０年２月28日、この事件の４人の加害教員と関係管理職への処分が下されました。２人が懲戒免職《ちょうかいめんしょく》、１人が停職《ていしょく》３カ月、もう１人が減給《げんきゅう》３カ月です。管理職も現職の校長が減給３カ月、前職の校長が停職３カ月となりました。妥《だ》当《とう》な処分だと思います。

しかし、不思議なことがあります。

３月11日、「被害教員からの訴《うった》えを受けて捜査していた兵庫県警は、４人の加害教員を書類送検したが、すでに懲戒免職処分などの社会的制裁を受けているため、立件を見送った」と報道されました。

これは、本末転倒《ほんまつてんとう》ではないでしょうか。刑事事件において、その加害者が勤務先から社会的制裁を受けたから立件を見送る。こんなことがあっていいのでしょうか。少なくとも立件し、その裁判の中で情状酌量《じょうじょうしゃくりょう》の措置《そち》を受ける。これが本来の順番ではないでしょうか。

私としては、何か納得できない幕引《まくひ》きとなった事件です。

子どもが、子どもを産む時代

２０１９年３月。大やけどを負った３歳の女児が体にラップを巻《ま》かれた状態で放置されていた事件で、22歳の母親と1歳年下の交際相手の男性が逮捕されました。２人は女児を病院に連れて行くことなく、そのまま放置して外出。女児（妹）の様子を心配した5歳の男児（兄）が近所の人に救いを求めて発覚《はっかく》しました。命は取り留《と》めたようですが、いまだに病院で治療を受けています。

この事件以外にも、若くして子どもを産んだ親による子どもの虐待《ぎゃくたい》やネグレクト、殺人が数多く報道されています。

私は、長く高校の教員をしていました。30年前も、20年前も、在学中に妊娠《にんしん》し、高校を中退して出産、母親として子育てをする女子生徒はいました。どのような場合も、私は生徒指導担当の教員として、その生徒の家族や相手、そして相手の両親とも話し合いを続け、双方《そうほう》の家族から住まいや金銭的・人的支援をきちんと受けることのできる状況をつくり支えました。子どもを産むという行為には、その子どもをきちんと育てる責任が発生します。そのためには、それなりの安定した収入が必要ですし、10代の出産・子育てには、それを手伝う家族の力が必要です。そのことを、教員としてきちんと教えてきました。

　今回のケースでは、この母親は17歳のときに1人目の子どもを出産しています。彼女を支える態勢《たいせい》は、どの程度あったのでしょうか。

　彼女と彼のしたことは許されることではありません。これから法の下できちんと裁かれるでしょう。しかし、この2人の子どもたちの実の父親は何をしていたのでしょうか。また、10代で出産・子育てをすることを許した彼女の家族は、いったい何をしていたのでしょうか。子どもが子どもを産んで育てること、それがどれだけ大変で危険であるかは、だれが考えても理解できることです。このような事態《じたい》になる前に、だれか動くことのできる人、動かなくてはならない人はいなかったのでしょうか。彼女たちだけを責めるのではなく、まわりの人たちや彼女にかかわった人たちにも、自分たちの責任を考えてほしいと私は考えます。

２０２２年４月から成人年齢が18歳

に引き下げられます。当然、18歳から親の同意を必要とせずに結婚できることとなります。まさに、「子どもが、子どもを産む時代」の到来《とうらい》により、残念ながら今回のような事件が増えるのではないかと危惧《きぐ》しています。親が何歳であれ、また親の収入が安定していないとしても、生まれてきた子どもには何の罪《つみ》もなく、すべての子どもは生まれながらに幸せに育つ権利を持っています。

児童相談所や保健所などの関係機関は速やかに、生活の安定していない若年《じゃくねん》層《そう》の夫婦や一人親世帯の子育てを、金銭的にも人的にも環境的にもチェックし、必要に応じて支援するシステムを確立してほしいと考えています。

また、中学や高校の授業で、子どもを産んで親になることの重さや、産んだときに受けることができる社会的助成制度や福祉制度についてもきちんと教えてほしいと考えます。

追記

日本では、どんな状況や年齢の親であっても、子どもを産んだら、その子どもを自分の力で育てることがあたりまえのように思われています。でも、これでいいのでしょうか。

アメリカやヨーロッパ各国では、子どもは、その親の子である前に国の子として、虐待やネグレクト、親の病気などがあった場合だけでなく、経済的・精神的に親が子どもをきちんと育てられなくなった場合は、その子どもを施設に保護し、その後、その子どもを自分の子として育てる里親《さとおや》のもとに渡し、そこで子どもたちが育っていくという態勢がきちんとできています。その背景には、キリスト教が長年、妊娠中絶《ちゅうぜつ》を認めておらず、子どもは神が授《さず》けたものなので、きちんと社会の中で育てる義務があるという宗教観が影響を与えていると考えます。

しかし、日本の場合、施設の数や収容数は十分に足りているけれども、里親制度が一般に認知《にんち》されていないため、このような状況の子どもたちの多くは新たな家庭で育つという選択肢《せんたくし》がなく、施設での生活を続けて巣立《すだ》っていきます。

自分の子どもをきちんと育てることができなくなったら、いつでもその子どもたちを施設が受け入れ、その子どもたちが幸せな家庭を持つことができる里親制度の充実が、いまの日本に求められています。それができないかぎり、このような事件がさらに増え、多くの幼《おさな》い命が奪われてしまう危険を孕《はら》んでいるのです。

犯罪者とその作品

２０１９年３月、俳優でミュージシャンのピエール瀧《たき》容疑者がコカインの使用で逮捕されました。哀《かな》しいことです。

こうしたときに薬物《やくぶつ》自己責任論を持ち出す人たちがいます。

「薬物乱用は人からモノを奪《うば》う行為でもなく、傷つける行為でもない。被害に遭《あ》うのは自分だけ。だから、彼の出演した映画や彼がかかわった楽曲《がっきょく》に罪はなく、それを放映停止や配信・販売停止にすることはやりすぎだ」と。

私は、この考え方は危険だと考えています。彼の作品を守ろうとしているたくさんの人たちに聞きたい。もし、彼の行った犯罪が薬物乱用ではなく、殺人や強盗《ごうとう》、強制性交《きょうせいせいこう》など被害者が存在する犯罪だったら、どう考えたでしょうか。それでも、「彼の作品に罪はない。守るべきだ」と言うことができたでしょうか。たぶん、そうではないはずです。でも、日本の法律では同じ犯罪なのです。

彼が使用したコカインなどの薬物は当然、暴力団などの反社会的勢力から手に入れているはずです。そのために使った金は暴力団などの資金となっています。しかも日本国内だけでなく、世界の反社会的勢力の活動を支えることになります。これは許されることでしょうか。

どのような薬物であっても、乱用を続けるためには金がかかります。そして、乱用者にとって薬物を手に入れ、使用することは命より大切なことです。手に入れた金は薬物を買うために右から左へと使われていきます。家庭を持っている乱用者は必ずと言ってよいほど家庭を破壊《はかい》しますし、青少年の場合は両親を追い詰め、ときには金のために犯罪や売春《ばいしゅん》に走ります。ここまで言えば、たぶん理解してもらえるでしょう。

彼の演技や音楽がもし、薬物の使用とその影響の中でつくられたものだったとしたら、それを見たり聞いたりすることに何の意味があるでしょうか。そこには、本当の彼はいません。頭と心と体を薬物に乗っ取られた哀《あわ》れな彼がいるだけです。そんな彼の作品を見たいですか？　聞きたいですか？　彼を本当に守りたいのならば、それらをすべて捨て去《さ》るべきです。

たしかに歴史上の俳優にも、ロック

やジャズなどのミュージシャンの中にも薬物を乱用し、それでも優《すぐ》れた作品を残した人はたくさんいます。でも、彼らの多くは、それを自らの命で償《つぐな》っています。私は、彼にはそうなってほしくない。

罪は、償うことができます。彼にはまず、自分の罪を償い、薬物依存症《いぞんしょう》という病ときちんと戦って、また私たちの前に戻ってきてほしい。薬物に汚《けが》され、自らを乗っ取られることなく、彼の本来の姿で、すばらしい演技や音楽を私たちに見せてほしいと考えています。

そのためにもいま、彼を愛する人たちは、そっと待つことです。

裁判所が「弱者救済」という正義を失った日

２０１９年３月、愛知県で娘に中学２年のころから性的虐待を加え、拒《こば》むと暴力をふるった実の父親が性的暴行（被害者が19歳時）で訴えられた裁判で、「心理的に抵抗できない状態だったとは認められない」という理由で無罪判決が下されました。ひどい判決です。

私は２００４年２月に水谷青少年問題研究所を開設しました。それ以来、中学や高校、大学の教員から性的行為を強要《きょうよう》された生徒や学生、また親や兄弟から性的行為を強要された女性たちから、年に数十件の相談があります。

教員による事案《じあん》で相談してきた女性が18歳未満（または高校３年生以下）の場

合は、本人を説得して警察に相談させます。それと同時に、私はまず親に事情を話し、理解を得たうえで該当の学校に事情を報告します。そして、すぐにその教員を現場から離脱《りだつ》させ、その保護をお願いするとともに、教育委員会や警察に通報し、厳しい処分と犯罪としての立件を求めます。

親による事案の場合は、警察に通報すると同時に、その地域の児童相談所に通報。速やかに保護し、警察と連携して児童虐待防止法の下、解決にあたることを要請《ようせい》します。

実は、私が一番苦労するのは、まさに今回の事件のように被害者が18歳、19歳の（または18歳、19歳時の）教員や親からの性的暴行です。本人を説得し、警察に通報させても、検察で（それを何とか乗り越えても、今回のように裁判で）、「合意《ごうい》があったか、なかったか」あるいは「抵抗することや逃《に》げることができたか、できなかったか」が争点《そうてん》になり、不起訴《ふきそ》や無罪という哀しい思いをしたことが何度もあります。

生徒や子どもたちにとって、教員や親は支配的存在です。「拒めば単位をもらえなくなる」「受け入れなければ学校にいづらくなる」「嫌がったら生活ができなくなる」「抵抗したら暴力をふるわれる」「逃げたら学校に行かれなくなる」など……。このような支配関係における弱者の精いっぱいの訴えに対し、ただ現行の法律に基づいて淡々《たんたん》と審理《しんり》し、罪状を決めることには怒《いか》りさえ感じます。生活や日常を権威《けんい》や恐怖で支配されている人に、「なぜ、抵抗しなかったのか」を問うことには人間性の欠片《かけら》さえ感じられません。さらにその人を傷つけ、追い込む行為です。許すことはできません。

ましてや、今回のケースでは中学校2年時から繰り返された性的虐待について事実として認めています。裁判官には、この女性がどのような思いで、どれだけの勇気を振りしぼって訴えたのかを考える優《やさ》しさはなかったのでしょうか。

裁判官の仕事は正義を守ることです。その正義は、まさに法的弱者を救済することにあると私は考えます。検察が高等裁判所に控訴《こうそ》したのは当然のことです。次の高等裁判所で、弱者救済という法の下の正義による判断が下されることを切望《せつぼう》します。

追記

この事案については、高等裁判所が父親に対して有罪の判決を出しました。背景には、この事件をテレビや新聞など数多くの報道機関が一斉《いっせい》に報道し、国民の中に「これを許してはいけない」という世論が形成されたことが影響しています。「たかがニュース、されどニュース」——報道には、このように世論形成《けいせい》という大きな力があります。ただし、それが間違った方向に向かう場合もあるということも忘れてはいけません。

川崎市の無差別殺傷事件について

２０１９年５月、川崎市で罪もない人たちや子どもたちが襲《おそ》われる無差別《むさべつ》殺傷事件が起きました。２つの尊《とうと》い命が奪われ、子どもたちを含む18人が傷つけられました。犯人は自殺しましたが、許すことのできない犯罪です。加害者は51歳。中学校を卒業後、ずっとひきこもりの生活をしていたと報道されました。80代の叔父《おじ》夫婦と共に生活していたようです。

実は、このような事件はこれから多発する可能性があると、私は10年以上前からずっと考えてきました。

みなさんは、「８０５０《ハチマルゴーマル》問題」をご存じですか。日本では１９８０年代から不登校やひきこもりの問題が始まりました。その当時に不登校やひきこもりになった子どもたちが50代を迎《むか》え、その生活を支え続けてきた親たちは80代となり、世話をすることができなくなっています。こうした中、ひきこもりになっているわが子の将来を悲観《ひかん》して心中《しんじゅう》したり、逆にひきこもりの子どもが親の介護や生活費に困窮《こんきゅう》して親を虐待したり、ひどい場合は殺してしまったり、明日を悲観して自ら命を絶《た》つ事態が起きています。

また、ケースとしては稀《まれ》でしょうが、今回のように、その恨《うら》みを社会や他人に向け、犯罪の引き金となってしまう事態が多発することを、私やひきこもりの家庭とかかわってきた専門家は恐れ、ずっと警鐘《けいしょう》を鳴らしてきました。

一部の専門家は、「学校や会社でのいじめや社会不適応、対人関係をつくるのが苦手なことからひきこもりになってしまっている人は、日本に約２００万人存在する」と分析しています。しかし、政府や各自治体は、その調査をきちんと行っていません。また、かつて多くの家庭では、わが子がひきこもりになっても、それを「恥《はじ》」として家庭内の問題として秘《ひ》め、専門家や専門機関に助けを求めてきませんでした。

いまから10年前、公明党からの強い要請を受けた政府は重い腰を上げ、「ひきこもり対策推進事業」を始めましたが、いまだ多くの困っている人たちのところまで周知されていません。政府は速やかに国勢調査などを通じて、まずはひきこもりの人々の実数と現状を把握し、その人たちの社会復帰を助ける機関や人材をさらに増やしていくべきです。

人にとって、最も厳《きび》しい状況は孤独《こどく》です。人は、他人との触《ふ》れ合いを通じて精神的に成長し、心の安定や幸せを手にすることができます。ネットやゲームは一時的な救いと満足感は与えてくれますが、その後にはさらなる孤独と絶望を生み出します。社会的に孤立した人たちに対して、早急にその問題の解決に動かなければ、今回のような極端《きょくたん》なケースは稀でしょうが、多くの痛ましい事件が多発すると私は考えています。

追記

新型コロナウイルス感染拡大の中で、政府は日本を急速にＩＴ化しようとしているようです。職場では、在宅で仕事ができるリモート化の推進。学校では、教室での直接の授業に代《か》わるリモート授業の推進。現在、すでに通信制高校として、ほとんどの授業をリモートで受けることのできる高校が存在し、多くの生徒たちが学んでいます。これは1つの新しい学び方として一部の生徒たちの選択肢を増やす、すばらしい試《こころ》みだと思います。

しかし、それを急速に社会全体に広げていくことは、仲間や教員との日々の触れ合いや同僚・上司との触れ合いの中で人間関係を学び、自らを育てる機会を奪うことにもなりかねません。それ以上に、毎日の孤立《こりつ》した生活の中で、孤独から心を病《や》む人をたくさん育ててしまうことにもなるのではないでしょうか。

人間は社会的動物です。人と人との直接的な触れ合いがなければ、その心は成長しませんし、心が病んでしまいます。急速なＩＴ化に、このような危機感《ききかん》を抱《いだ》くのは私だけでしょうか。

みなさんに聞きます。

あなたは日々、人と会うことなく、人と直接、会話することなく生きることができますか？　そのような日々の中で精神を正常に保《たも》つことができますか？

守るべきはだれだ⁉

２０１９年６月、群馬県で中学２年生の女子生徒が担任によって拉致《らち》され、車に監禁《かんきん》されるという事件が起こりました。

私は長年、高校の生徒指導担当として、そして現在は子どもたちからの相談を受ける研究所の所長として、教員が引き起こす数多くの問題に取り組んできました。

生徒との不適切な関係や暴力などのケースや、山形県の高校教員による他校の女子生徒への連続暴行事件のような犯罪も数多く扱ってきましたが、今回のような計画性のない衝動的な犯罪は初めてです。教員が自校の生徒に対して犯罪を犯《おか》せば、それは確実に露見《ろけん》し、逮捕されることは自明《じめい》であり、また、教員にとって生徒は守るべき大切な存在であり、傷つける対象ではないからです。

こうしたことから判断すると、この教員には何らかの精神的な問題があった可能性が高いと私は考えています。それにしても、最悪の事態に至《いた》らなかったことは幸いでした。しかし、この教員が勤務していた学校の事件後の対応には首を傾《かし》げざるを得ません。校長や学年主任などによる正式な記者会見が行われることもなく、教頭がマスコミの取材に答えていました。

かつて、「女子更衣室《こういしつ》を覗《のぞ》かれた」という生徒たちからの訴えに対しても、教員本人からの聞き取りだけで「誤解」と決めつけ、「生徒の胸を触《さわ》った」という親からの情報に対しても、「被害生徒からの訴えはない」として、おしまいにしてきた。だれがどのような調査をしたかを明らかにせず、それが事実だったかどうかについてもコメントしない。この学校はいったい、どのような学校運営をしているのでしょうか。

また、この学校の危機管理や生徒保護の体制はどのようなものなのでしょう。加害教員について「そこまで追い込んだ可能性がある」と語りながら、それが具体的にどういうことなのか、同僚からのいじめや管理職からのパワハラなのか、それとも本人の精神的な問題だったのか、何の説明もありません。

どうもこの学校では、守らなくてはいけないのは学校の体裁《ていさい》や管理職・教員であり、生徒ではない。そのように思ってしまいます。

被害を受けた女子生徒の人権を守るという観点から公開情報を制限するのは当然のことですが、教頭がマスコミを前に語った内容では、さらに被害を拡大し、傷つけられる生徒が多数出てしまいます。この学校はこのような体制・体質のままで、被害を受けた生徒たちの心のケアや保護・育成をすることができるのでしょうか。

まずは、すべての関係者にお願いがあります。

速やかに外部の専門家による調査機関をつくり、該当教員によってほかにも被害を受けた生徒がいないか調べてほしい。同時に、この事件が単なる1人の男の衝動的な犯罪なのか、それとも背後《はいご》に何らかの学校内の問題がなかったかを調べてほしい。被害を受けた生徒や精神的にショックを受けたほかの生徒の保護は当然のこととして……。

そして、すべての調査が終わった段階で、理事長・校長・教頭などの管理職は責任をとって辞職し、新しい体制で二度とこのような問題が起こらない学校をつくってほしい。

こう考えるのは、私だけではないはずです。

追記

このように学校内での事件が起きたとき、いつも思うことがあります。それは、「学校や教育委員会は、だれを守るべきなのかがきちんとわかっていないのではないか？」ということです。守るべきなのは被害者、そして生徒や児童であるはずなのに、まずは学校や教員・校長・教育委員会を守ろうとする姿勢が目につきます。

大切な命を預《あず》かっている児童・生徒が「いじめ」で自らの命を絶っても、自ら進んで責任をとろうとする学校や教員・校長、教育長の姿が報道されることはありません。まずは否定によって自分たちを守り、報道によって事実関係が次第に明らかになっていくと調査に乗り出す。その報告も完全な形では出さず、該当児童・生徒の保護者にさえ黒塗《くろぬ》りで公開する。報道で叩《たた》かれると、やっとのことで重い腰を上げ、第三者による調査委員会を設置する。しかも、何年もの月日をかけて……。

　このような体制・体質を変えないかぎり、学校や教員に対する保護者や子どもたちからの信頼は地に落ち、学校における教育活動そのものが停滞《ていたい》していきます。教育に携《たずさ》わるすべての人たちに考えてほしい。事件や事故が起きた場合、一番に守らなくてはいけないのはだれか。一番に責任をとらなくてはならないのはだれか。

「京都アニメーションスタジオ放火事件」の被害者名公開について

２０１９年８月、「京都アニメーションスタジオ放火事件」で亡くなった35名のうち、これまで非公開だった25名の身元《みもと》を京都府警が公表しました。これについては、公開を求めたマスコミに対して多くの批判がなされていますが、私は身元公開は当然のことと考えています。

２０１６年に神奈川県で起きた「相模原障がい者施設殺傷《さっしょう》事件」（津久井やまゆり園大量殺人事件）で、神奈川県警は被害者の氏名を「被害者が障がい者である」という理由から匿名《とくめい》でしか公開しませんでした。

この事件では、私が横浜市の養護《ようご》学校で教えた生徒も被害に遭っています。このときはマスコミも、ほとんどの国民も、とくに警察の対応について問題にはしませんでしたが、一部のマスコミが何人かの亡くなった方々の親と話し合い、「この行為（匿名で公開したこと）自体が、障がい者に対する重大な差別ではないか」と問題提起《ていき》しました。ところが、「京都アニメーションスタジオ放火事件」の場合、ほとんどのマスコミが身元の公開を強く求め、そして公開と同時に報道しています。矛盾《むじゅん》しています。

今回の事件ではなぜ、被害者の家族の多くが身元公開を拒否《きょひ》したのか。それを深く考えるべきです。身元が公開されることにより、新聞・テレビなどのマスコミが自宅まで取材に押しかけ、哀しみに苦しんでいる遺族《いぞく》をさらに苦しめるのではないか――。遺族の方々の多くはそう考え、身元公開を拒否していたのだと思います。また、その気持ちを理解した警察がずっと配慮《はいりょ》し続けてきたのでしょう。これは深く理解できます。

しかし、震災や集中豪雨、事件・事故の場合と同様、被害者の氏名は速やかに公開されるべきです。そして、多くの人がその事実を知り、亡くなった方の無《む》念《ねん》や家族の哀しみを共有すべきです。ただし、被害者から報道の自《じ》粛《しゅく》を求められた場合は、マスコミは自ら取材や報道について配慮すべきです。

私は、この「身元公開」がこのように大きな問題になった原因は、日ごろの一部マスコミによる被害者の人権やプライバシー、そして被害者の家族の哀しみを無視した乱暴な取材や報道にあると考えています。

今回の問題からマスコミはぜひ、取材方法や報道内容についてきちんと考え直してほしい。そして「記者である前に、温かい心を持った人間」として報道してほしいと考えます。

防がなくてはならなかった死

２０１９年９月、岐阜《ぎふ》市内の私立高校で２年生の生徒が教員による個別指導を受けた後、教室で自ら命を絶ちました。哀しい事件です。

この生徒は同級生とのトラブルに関し、放課後、担任と学年主任による指導を受けました。担任たちは保護者に連絡をするため、その場に生徒だけを放置して、指導していた教室を１時間以上離《はな》れ、その間に生徒は命を絶ちました。報道によれば、教頭は「指導には問題がなかった」と発言しているようです。本当にそうでしょうか。

私は、横浜市の高校に22年間勤務し、生徒指導を専門に担当してきました。

このようなケースで生徒を個別に指導したことは数えきれないくらいあります。その経験からいえば、今回の事件は十分防《ふせ》ぐことができたし、防がなくてはならなかった。生徒への指導を複数の教員が行ったことは当然のことで、評価できます。しかし、この2人の教員は生徒を1人にしてしまった。しかも、親に連絡するからと伝えて1時間以上にわたって……。あり得ない行為です。

生徒にとって、教員から個別に指導を受けること自体が重圧《じゅうあつ》です。もしかしたら退学などの処分《しょぶん》を受けるのではないか。しかも、親への連絡も伝えられています。親に迷惑をかけるということは、さらにこの生徒を追い込んだはずです。そのうえで長い時間、放置した。許されないことです。

私も、このようなケースをたくさん扱いましたが、絶対に生徒を1人にはしませんでした。校長、教頭、手の空《あ》いている教員をそばに置き、さらにその生徒と話をさせました。この学校ではそれをしていない。

この生徒は教室で1人、どれだけ苦しんだか。それを、この学校の教員はわかっていないようです。苦しみ、悩み、そしてどうしようもなくなって命を絶った。どれだけつらかったか。それを考え、心で感じれば、教頭は「指導には問題がなかった」などとは、言えないはずです。

1人の生徒が学校の教室で自ら命を絶つ。これがどれほど大変なことか。ぜひ、この学校のすべての教員に考えてほしい。理由もなく自ら命を絶つ生徒はいません。しかも教室で……。

ぜひ、早急に第三者による委員会をつくり、すべての指導内容と事実を明らかにしてほしいと考えます。そして、かかわったすべての教員は事実をきちんと話してほしい。そして、自ら罪を償ってほしいと私は考えます。

この生徒の死を無駄《むだ》にしてはいけない。この生徒を死に追い込んだのはだれなのでしょう。それを明らかにしなければ、この高校に明日はないでしょう。

追記

この事件に関しては最初の事件報道以降、1年以上まったく報道されていません。なぜなのかはわかりません。

私は、どうしてこの少年が自ら命を絶たざるを得なかったのか。その理由や背景をきちんと取材し、報道することは、再びこのような事件を起こさないためにも大切なことだと考えます。心ある報道機関は、いまからでも動いてほしいと思います。

慶應義塾大学アメフト部の無期限活動自粛について

２０１９年10月、慶應義塾《けいおうぎじゅく》大学のアメリカンフットボール部が、部内の複数の部員による著《いちじる》しく不適切な行為により無期限で活動を自粛するという報道がなされました。一部の報道機関から、著しく不適切な行為とは合宿中の複数の部員による女子露天風呂《ろてんぶろ》の盗撮《とうさつ》だと報道されていますが、事実であるかどうかはいまだ不明です。

慶應義塾大学にお願いがあります。

これが事実でないならば、すぐに本当の理由を開示して反論してほしい。そして、虚偽《きょぎ》の報道をした報道機関を法の場できちんと訴えてほしい。

しかし、これが事実であるならば、これらの行為は法律で——とくに各地方自治体の「迷惑防止条例」によって——禁じられている犯罪です。すぐに警察に通報し、司法の場できちんと処理していただきたい。犯罪である以上、その事実を知り得た人間には通報義務があり、いままでそれをしていなかったことは犯人蔵匿（隠避）にあたる犯罪です。

私は、これまでこの事件にかかわり、それを犯罪として通報しなかったすべての人間を警察に自首《じしゅ》させてほしいと考えています。そして、かかわったすべての人間は司法の場で裁かれ、その責任を負い、償うべきです。それこそが本当の教育だと私は考えます。それをしないということは、大学当局の自己保身と見なされても仕方がないでしょう。

神戸市の小学校での教員による「いじめ」と呼ばれている犯罪（22ページ参照）でも、これまで絶えることなく続き、たくさんの尊い子どもたちの命を奪った学校内での「いじめ」とされている恐喝《きょうかつ》、強要、暴行事件でも、文部科学省、教育委員会はもとより、学校自体も内部の問題として処理し続けてきました。そして、これらの問題を解決できるどころか、さらに悪化させています。

たしかに、その姿勢の背後にある考え方には歴史的原因があることは理解できます。戦前の教育のように国家や官憲《かんけん》、軍が直接、教育に関与することを排《はい》除《じょ》し、教育の中立性・独立性を保たなくてはいけない。そのためにも、学校内の問題は学校内で解決・処理にあたる。

しかし、学校といえども、やはりわが国の法の下で保護され、活動している場です。その中で、わが国の法律に背《そむ》く行為があった場合は、きちんと警察や司法の力を借りてその解決を図り、かかわった学生、生徒や職員に法の下で裁きを受けさせることは当然のことでしょう。慶應義塾大学には、その見本を示してほしいと考えます。まずは加害当事者と、事実を知りながらいまだに警察に通報していないすべての関係者はすぐに警察に行って、すべての事実をきちんと話し、自分のしてしまったことを償ってほしい。

最後にもう1つ、慶應義塾大学にお願いです。

加害学生や関係者を退学や免職《めんしょく》によって処分するのではなく、罪を償ったならば再度、大学に戻してほしい。被害者が認めてくれたならば……。

追記

私は、戦後教育の柱であった「学校自治」は、絶対に守られなくてはならないと考えます。すべての学校は政府や自治体（都道府県・市区町村）、文部科学省などの行政から、いかなる教育内容についても強制を受けることなく、学問の良心《りょうしん》に基づいて自立運営されるべきだと考えています。

たとえば、かつて大きな問題となった式典における国旗の掲揚《けいよう》・国歌の斉《せい》唱《しょう》も、本来は学校に強制されるべきではないと考えています。

しかし、自治権を持った学校といえども日本の国内にある以上、法による規制は受けざるを得ません。とくに盗難や傷害などの刑法にかかわる犯罪が校内で起きた場合は速やかに警察に通報し、司法にすべてを委《ゆだ》ねることはあたりまえです。これを「学校自治」を盾《たて》にして拒むことは、本来の「学校自治」の考え方を歪曲《わいきょく》していると考えます。

これをせずに、どんな問題でも――たとえ、刑法にかかわる問題でも――校内で内々に解決しようとしてきたことが、教育の場でいま問題となっている「いじめ」などの予防や解決を遅らせ、問題をさらに大きくしてしまっているのではないでしょうか。

田代くん、逮捕されてよかった

２０１９年11月、タレントの田代まさし容疑者が覚せい剤所持で現行犯逮捕されました。もう何度目の逮捕となるのか。しかし、これは彼にとって幸せだったと、私は考えています。

私は、夜間定時制《ていじせい》高校の教員となった１９９２年、シンナーを乱用する１人の若者と知り合いました。「なんとか彼を救いたい！」――そんな思いで彼と共に暮らし、そして彼をシンナーの魔《ま》の手から救おうとしました。

しかし、彼は命を失いました。あの日から私は、薬物（ドラッグ）を最も憎《にく》い敵《てき》として戦い続けてきました。でも、この戦いは敗北《はいぼく》続き。すでにかかわった若者たち66名の命を奪われました。

ドラッグは、たった2つの言葉で定義できます。

1つは、やったらやめられないもの（依存性物質）、もう1つは、やったら捕《つか》まるもの（違法物質）です。とくに問題なのは依存性です。たばこに含まれるニコチンというドラッグでさえ、多くの人がやめることができないのに、覚せい剤やコカインは、それよりはるかに依存性が強いのです。

ドラッグは、人を3回殺します。最初に頭です。ドラッグのことしか考えられないようにします。次に心です。ドラッグを手に入れるためなら平気で嘘をつき、愛する人を裏切ります。そして、最後に身体を殺します。今回の逮捕で田代くんは最悪の事態、つまり死から逃れることができました。それだけでも、よかったと考えています。

実は、私は２０１０年９月、彼がコカインの所持で逮捕される直前に、彼をサポートしていた人から、彼の芸能界への復帰の手伝いをしてほしいと頼まれました。そのとき、私は「あなたが彼を大切に思うならば、いまは彼を捨てることだ。そして、私や仲間の施設に預けることだ。こんなことをしていたら、彼は再度使う。ドラッグは愛の力では勝てない」と言って断《ことわ》りました。その人は「夜回り先生を見損《みそこ》なった」と激怒《げきど》していました。

専門家は、ドラッグからの回復には「底《そこ》付《つ》き」が必要だと考えています。つまり、「仕事や家族、それまでの人間関係など、すべてを失い、そんな中で過去をすべて捨てて、救いを求めてこなければ救えない」ということです。田代くんはまさに、この「底付き」まで行っていなかった。それが今回の事件を引き起こしました。

私は、彼の過去を利用しようとしたすべての人を憎みます。でも、彼はまだ生きています。罪を償い、過去のすべてを捨てて「底付き」をして戻ってくれることを祈《いの》っています。

彼が、この文章を読んでくれることを祈って、彼に最後の忠告をします。日本の刑務所は、いとも安易に睡眠薬や精神安定剤を使用します。収監《しゅうかん》後《ご》の処遇《しょぐう》の安易さを考えてでしょう。しかし、これはたいへん危険なことです。

私のところには、覚せい剤の乱用で刑務所に入り、向精神薬の依存症になって刑務所から戻ってくる人たちからの相談が絶えません。苦しいでしょうが、今回は刑務所で向精神薬を使わず、きれいにドラッグを抜いて戻ってきてください。それができたなら、私はあなたのためにできるかぎりのことをします。

中学生による小学生女子児童の殺人未遂事件について

２０１９年11月、青森県八戸《はちのへ》市で小学校高学年の女子児童が首を切られて重傷を負った事件で、中学生の少年が殺人未遂《みすい》容疑で逮捕されました。報道によれば、この少年は、「人を殺すことに興味があった。だれでもよかった」と話しているそうです。

この少年は14歳ですから、検察官送致《そうち》（逆送《ぎゃくそう》＝成人と同じように裁判所で裁かれ、刑務所に送られること）はありません。少年法の下で警察署での取り調べを受け、その後、少年鑑別所《かんべつしょ》に送られ、そこで家庭裁判所調査官による生育歴や生育環境、学校での状況などの調査と専門家による精神鑑定《かんてい》が行われます。そして、その結果に基づき、家庭裁判所での審判を受け、少年院や医療少年院（法務省矯正局《きょうせいきょく》の管轄《かんかつ》）、または児童自立支援施設（厚生労働省の管轄）への送致などの処遇《しょぐう》が決定されます。今回の場合は特殊な事件ですから、精神鑑定については相当、深く丁寧に行われることでしょう。

私は今回の事件で気になることがあります。それは、この事件の異質性《いしっせい》です。これまでにも、いじめられた相手に対する復讐《ふくしゅう》として起こした少年事件や、虐待された結果、親を殺《あや》めた少年事件はありました。それらの事件では、加害者と被害者に一定の関係が存在しました。しかし、今回の事件はまったく違います。１９９７年に起きた、「神戸連続児童殺傷事件」（酒鬼薔薇聖斗《さかきばらせいと》事件）を思い出したのは、私だけではないはずです。あのときの犯人も、まさに14歳でした。しかも殺人に至った動機は、通常では理解しがたい不可解なものでした。

私から八戸市教育委員会、この少年の小・中学校の関係者、児童相談所、家庭裁判所の方々にお願いがあります。

この事件を「特別な少年がたまたま起こしてしまった特殊な事件」として扱い、少年法に従って淡々と処置しないでほしい。家庭裁判所の調査官だけでなく、教育委員会や児童相談所の中に調査・検証チームをつくり、医師や臨床《りんしょう》心理士などの専門家の力を借りて、互いに協力し合いながら、事件の背景と原因を突き止めてほしいのです。そして、それをきちんとまとめて公開していただきたい。

いかに子どもであっても、理由もなく人を殺そうとする人はいません。必ず、その家庭や生育歴、小・中学校での状況の中に背景や原因があるはずです。また、現代の子どもたちはゲームやインターネットから多くの影響を受けています。彼がやっていたゲームや彼が見ていたウェブサイト、読んでいた本やマンガの中に原因や背景が潜《ひそ》んでいます。それらが明らかになれば、このような犯罪を防ぐ方法を見出《みいだ》すことができるはずです。
このような哀しい事件の再発を防ぐためにもぜひ、検討していただきたいと考えています。

追記

私は、これまで日本中を震撼《しんかん》させた４つの「少年による殺人事件」で、加害少年やその家族とかかわってきました。

その審判《しんぱん》において、一部の精神科医は「その少年の心の中に犯罪の原因がある」と判断しました。たしかに４人の少年はそれぞれ、その思考過程や判断基準に何らかの普通とは異なる異質な傾向を持っていました。

しかし、その家庭や生育歴を見ると、その少年たちの心の奥に深い傷を残すような大きな事件が潜んでいました。

ある少年は、母親が自分だけを残して家から出て行ったこと。ある少年は、小学生のときに父親の暴力が原因で母親が自殺したこと。また、ある少年は、小学校のときから学校でひどいいじめに遭っていたこと。

私は、この少年たちが恵まれた家庭生活を過ごすことができていたら、あるいは学校できちんと自分を理解し、守ってくれる教員との出会いがあったならば、このような事件は起こさなかったと確信しています。

あらゆる少年犯罪には必ず理由があります。しかも、その理由は少年自身の中にあるのではなく、その少年を育てた家庭や学校、大きく言えば私たちの社会にあります。

令和の事件簿 *Part.* 1 資料編

２０１９年（令和元年）

東池袋　自動車暴走死傷事故

２０１９年（平成31年）４月19日の12時25分ごろに東京都豊島区東池袋の都道で発生した交通事故。当時87歳の高齢者の運転する乗用車が暴走して交差点内に突っ込み、歩行者や自転車を次々とはねて計11人を死傷。この事故で母子２人が死亡、同乗していた加害者の妻を含む９人が負傷した。加害男性は自動車運転処罰法違反（過失運転致死傷）容疑で書類送検・在宅起訴された。２０２０年（令和２年）10月８日に東京地裁で開かれた刑事裁判では、被告が起訴内容を否認し、無罪を主張。同日、遺族と弁護団はコロナ禍や被告の無罪主張により刑事裁判の長期化が予想されることなどを踏まえて、判決を待たずに被告に損害賠償を求める民事訴訟を提訴した。

神戸　教員間いじめ暴行事件

神戸市立の小学校で、新卒３年目の男性教員が同僚の教員４人からいじめや暴行を受けていた事件が２０１９年（令和元年）10月に発覚。被害教員は激辛カレーを無理やり食べるよう強要されたり、顔に塗られたりしたとされる。このほか、20代の男性教員１人と女性教員２人も含め、計４人が被害を受けた。市教育委員会は２０２０年（令和２年）２月28日、加害者４人のうち２人に懲戒免職、１人に停職３カ月、１人に減給３カ月、管理責任を問われた現校長は減給３カ月、前校長は停職３カ月の処分とした。また、兵庫県警は３月11日、加害者３人を暴行と強要容疑で、１人を強要容疑で書類送検したが、神戸地検は３月27日、加害者４人全員を不起訴（起訴猶予）処分とした。

東名高速道路　夫婦死亡事故

２０１７年（平成29年）６月５日に神奈川県足柄上郡大井町の東名高速道路下り線で発生した交通事故。この事故の前、パーキングエリアで駐車位置をめぐって注意された加害者の乗用車が高速道路上で被害者のワゴン車を追いかけるなど、執拗な〝あおり運転〟を繰り返した。被害者は追い越し車線に無理やり停車させられ、加害者の車と２台が止まっていたところに後続のトラックが追突。男女２人が死亡し、加害者を含む４人が重軽傷を負った。この事故により被害者夫婦が死亡したほか、被害者夫婦の娘２人（当時15歳の長女と11歳の次女）も負傷。２０１８年（平成30年）12月14日、自動車運転処罰法違反（危険運転致死傷）罪などに問われた26歳の被告に対し、懲役18年（求刑懲役23年）が言い渡された。

横浜　3歳女児やけど放置事件

２０１９年（平成31年）３月4日正午ごろ、横浜市鶴見区の22歳の母親が大やけどを負っている３歳の長女に治療を受けさせず、自宅に放置したまま、同居していた21歳の交際相手と外出。５歳の兄（長男）が近くの会社事務所に「ママがいない」と訴え、事務所関係者が警察に通報した。署員が駆けつけたところ、長女は背中から腰にかけて全治３カ月以上の重傷を負い、意識がもうろうとした状態で布団に横になり、上半身にラップが巻かれた状態で9時間にわたり自宅に置き去りにされていた。その夜、「パチンコに行っていた」という母親と、交際相手の男性が保護責任者遺棄の疑いで逮捕された。同年（令和元年）8月23日、横浜地裁は2人に対し、懲役2年、執行猶予４年の判決を言い渡した。

ピエール瀧　麻薬取締法違反で逮捕

２０１９年（平成31年）３月12日、関東信越厚生局麻薬取締部は俳優でミュージシャンのピエール瀧がコカインを摂取したとして、麻薬取締法違反の疑いで逮捕。同14日には、マンションの一室から吸入に使用したとみられる紙幣が発見された。同年（令和元年）６月18日、東京地裁は懲役１年６カ月、執行猶予３年の有罪判決を言い渡した。

愛知県　実父からの性的虐待被害裁判

２０１７年（平成29年）３月、当時19歳だった実の娘に性的暴行を加えた準強制性交等罪で父親が逮捕、起訴された。２０１９年（平成31年）３月に行われた１審で名古屋地裁岡崎支部は無罪判決を下し、検察が控訴。性暴力撲滅を訴える「フラワーデモ」が各地で行われるなど、抗議の波紋が広がった。２０２０年（令和2年）3月に行われた控訴審判決で名古屋高裁は、父親が長年にわたり無理やり暴行に及んでいたと認定し、父親に懲役10年の逆転有罪を言い渡した。

川崎　無差別殺傷事件

２０１９年（令和元年）５月28日、神奈川県川崎市の登戸駅付近で私立小学校のスクールバスを待っていた小学生の児童らが、包丁を持って近づいてきた男に相次いで刺された。この事件では小学6年の女児１人と39歳の男性１人が死亡し、17人が負傷した。容疑者の男は犯行直後に現場で首を刺して自殺。のちに長年のひきこもり状態だったことが明らかになったが、動機は解明できないまま神奈川県警は捜査を終結。9月2日に殺人と殺人未遂の疑いで書類送検した。11月８日、横浜地検は容疑者死亡で不起訴処分にした。

群馬県　担任による女子生徒拉致監禁事件

２０１９年（令和元年）６月25日、中学2年の女子生徒を自宅から自分の車で連れ去り、高崎市内の山林の車中に監禁したとして、生徒の担任である私立中学校の27歳の男性教員が監禁容疑で現行犯逮捕された。翌日の報道によると「群馬県警は容疑を住居侵入とわいせつ目的略取、監禁致傷に切り替えて、前橋地検に送検する方針」と伝えられている。

京都アニメーション放火殺人事件

2019年（令和元年）7月18日の午前10時過ぎ、京都市伏見区の京都アニメーション第1スタジオに41歳の男が侵入し、ガソリンを撒いて放火。スタジオは全焼し、社員36人が死亡、34人が重軽傷を負う大惨事となった。容疑者は、現場から南へ約100m離れた六地蔵駅付近で確保された。容疑者自身も重度のやけどを負い、命の危険もあったが、大阪府内の病院で専門的な治療を受け、一定程度回復。2020年（令和2年）5月27日、事件から10カ月を経て京都府警に逮捕された。

6月より、京都地方検察庁が刑事責任能力を調べるため、半年間にわたる「鑑定留置」を実施。専門家による精神鑑定の結果、刑事責任を問えると判断し、12月16日、殺人や放火の罪で起訴。裁判員裁判で審議される予定だが、容疑者はいまもほぼ寝たきりの状態で、大阪拘置所の医師が治療にあたっており、初公判までには長い時間がかかる見通し。

岐阜　高校生が教室で自殺

2019年（令和元年）9月3日、岐阜市内の私立高校で起きた事件。この日、直前まで授業態度や同級生とのトラブルについて担任から指導を受けていた2年生の男子生徒が、その後、保護者への連絡や対応を協議するため教員が席を外している間に、教室内で首にカーテンのひもをかけて自殺した。

田代まさし
覚醒剤取締法違反で逮捕

2019年（令和元年）11月6日、タレントの田代まさしが覚醒剤取締法違反（所持）の疑いで宮城県警に逮捕された。同年8月23日に宮城県塩釜市の宿泊施設で、11月6日には東京都杉並区の自宅で覚醒剤と乾燥大麻を所持していたとされる。その後、同法違反（使用）と大麻取締法違反（所持）の疑いで再逮捕。薬物での逮捕は5度目。

2020年（令和2年）3月4日、仙台地裁は懲役2年6カ月（うち6カ月は保護観察付き執行猶予2年）とする有罪判決を言い渡した。被告側はこの判決を不服として控訴するも、7月29日、仙台高裁は1審仙台地裁判決を支持し、控訴を棄却、有罪が確定した。

慶應義塾大学アメフト部
無期限活動自粛

2019年（令和元年）10月15日、慶應義塾大学のアメリカンフットボール部「慶応ユニコーンズ」が無期限活動自粛を発表した。大学の発表によると「部内において複数の部員による著しく不適切な行為があったことが認められたため」であり、「教育的観点およびプライバシー保護の観点から、詳細は公表いたしかねます」としている。

青森　小学校女子児童殺人未遂事件

2019年（令和元年）11月12日、青森県八戸市の路上で帰宅途中の小学校6年生の女児がカッターナイフで首を切りつけられる事件が発生。翌日、市内に住む男子中学生が殺人未遂の疑いと銃刀法違反（所持）で逮捕された。警察の調べに対し、少年は「だれでもよかった」「殺すつもりだった」と供述したという。

令和の事件簿

Part.2

2020年（令和2年）

児童相談所は、子どもたちの命の最後の砦

２０２０年２月、深夜に家から追い出されて神戸市の児童相談所に保護を求めた小学６年生の女子児童が、当直《とうちょく》業務を請《う》け負《お》っていたＮＰＯ法人の男性職員によって追い返されたという問題が報道されました。インターホン越《ご》しに、「家庭で揉《も》めごとがあって家を追い出された」と助けを求めた女子児童に「警察に相談するように」と伝え、保護しなかったようです。また、この職員は「インターホンで見た顔が高校生のようだったから」「冗談《じょうだん》だと思った」と話していたとの報道もあります。

これは児童相談所自体の運営の問題というより、この担当職員が「児童相談

所は子どもたちの命の最後の砦《とりで》であり、救いを求めてきた子どもたちは、まずは必ず保護しなくてはいけない」という、あたりまえのことを教えられていなかったことに原因があるでしょう。しかも、この職員は児童相談所での保護対象児童が18歳未満――つまり、高校生も保護対象である――ということも知らなかったようです。

私の研究所には、平日は１日１００件前後、週末には２００件以上、子どもたちから相談があります。その中には、虐待《ぎゃくたい》など緊急に児童相談所の一時保護を必要とするものも年間数十件はあります。そのたびに私たちは、その子どもの居住《きょじゅう》地域の児童相談所に連絡し、保護してもらっています。

しかし、問題なのは、そのような緊急の相談が届くのは大半が午後10時から午前３時ごろの深夜であることです。それでも、一時保護所（施設）を持っている児童相談所の場合、必ず職員が当直していますから、その職員と話して保護してもらっています。ただ、所長の許可などを得《え》るために多くの時間がかかります。

今回のケースでは当該《とうがい》児童相談所内に保護施設が設置されていなかった、あるいは施設保護をしている児童がいなかったなどの理由で、児童相談所の職員が深夜に配置されていなかったのでしょう。

児童相談所は、現行の法律の下では「子どもたちの命の最後の砦」です。その児童相談所が24時間、子どもたちからの相談を受ける態勢や保護する態勢をとっていないことが今回の問題の原点だと考えます。私は教員時代から児童相談所とは深くかかわってきましたから、児童相談所の人員や組織の陣容が現在、すでに厳しい状況であることは理解しています。

しかし、国や自治体がさらに予算を確保して多くの専門家を配置し、児童相談所の職員や設置箇所《かしょ》を増やし、速《すみ》やかに24時間態勢で活動できるようにしなければ、このような問題は増え続け、最悪の場合、子どもたちの命にかかわる問題も生じてしまいます。

私たち市民の命と安全を守っている警察と同じように、児童相談所も子どもたちの命を守れる体制を整えるべきです。それができないのであれば、あるいはそれができるまでは、子どもたちの緊急の保護については交番を含めた警察署に委《い》託《たく》すべきです。子どもたちの命を守るためにも……。

追記

ここでは児童相談所の在り方について触《ふ》れましたが、同様の問題はほとんどすべての公的相談機関が抱《かか》えている問題です。

現在、１年３６５日・24時間態勢で、子どもたちの相談にのっている機関は、私の研究所や「いのちの電話」などを含め、その大半が民間機関です。公的相談機関はほとんど公的勤務時間内——つまり朝9時から夕方5時まで、ごく一部が夜8時（あるいは9時）まで——となっています。これこそ、お役所仕事の最《さい》たるものです。

多くの子どもたちが悩み、苦しみ、救いを求めて来るのは深夜の時間帯です。深夜の暗闇《くらやみ》の中で孤独に苛《さいな》まれ、追い込まれ、相談してきます。

私の研究所でも、まさにその深夜が最《もっと》も相談件数と深刻な相談が多い時間帯です。そうした子どもたちが最も助けを求めてくる時間帯に活動しない、そんな公的相談機関は何のためにあるのでしょう。その点を改めないかぎり、このような問題は続きます。

ドラッグとは

２０２０年2月、シンガー・ソングライターの槇原敬之《まきはらのりゆき》容疑者が、2年前に覚せい剤などを所持していた容疑で逮捕されました。2度目の逮捕です。日本中に衝撃《しょうげき》が走り、各テレビ局は対応に追われました。

また、彼の曲は高校の音楽の教科書や小学校の道徳の教科書にも掲載《けいさい》されており、各出版社はいま、その対応に頭を抱《かか》えています。

彼についての報道を見ていて気づいたことがあります。それは、ほとんどの人たちがドラッグの本当の姿を知らないということです。

今回は、それを再度まとめて書いてみます。

ドラッグ――これは、たった2つのことばで簡単に定義できます。1つは「やるとやめられないもの」。つまり、依存性物質であるということです。もう1つは「やると捕まるもの」。つまり、違法物質であるということです。

このドラッグの依存性は半端なものではありません。ドラッグ、とくに覚せい剤や危険ドラッグは、その1回目の使用から強烈《きょうれつ》な快感《かいかん》をもたらします。そして、その体験が使用者の脳の記憶中枢《ちゅうすう》に擦《す》り込まれてしまいます。

私には、ドラッグ乱用からの回復途上にあるたくさんの仲間たちがいます。彼らは常に1人になることはなく、仲間たちと共に行動し、お互いを監視《かんし》し、ともかく「今日一日」をドラッグから離れて生きようとしています。この戦いは生きているかぎり、永遠に続きます。

私たちドラッグの専門家の間では、一度でもドラッグを使用した人の中で、逮捕や精神病院への入院、自助《じじょ》グループとの連携などによって、その魔《ま》の手から抜け出すことができる人は6割程度だと推定《すいてい》されています。残りの4割は、死に至るまで乱用を続けていきます。

　また、ドラッグが違法とされているのは、その乱用によって犯罪が誘発《ゆうはつ》されたり、乱用者自身が死に至ることを止めるためですが、それ以上に忘れてはいけないことは、ドラッグの密輸《みつゆ》・密売《みつばい》には反社会的勢力が深くかかわっていて、その資金源になっていることです。

　槇原くんにはぜひ、ドラッグの売人《ばいにん》や一緒に乱用していたすべての人についての情報を司法当局に話し、罪を償《つぐな》ってほしいと考えています。そして、まずは自分のまわりをきれいにして、私たち専門家や自助グループの助けを求めてほしいです。

　いま、東京オリンピック・パラリンピックを前に、覚せい剤のみならず、コカインなどたくさんの違法ドラッグが日本へと運ばれてきています。すべては、彼がすべての事実をきちんと話すことができるかにかかっています。当然、彼の未来も……。

実は、ドラッグを密売する暴力団にとって有名人は格好《かっこう》の獲物《えもの》です。自分のいまの立場が大切ですから、絶対に警察に密告《みっこく》することはありませんし、お金を持っているので、どんなに価格を上げても買ってもらえます。こうして、多くの芸能人がドラッグの罠《わな》に落ちていきます。

追記

２０２０年８月、槇原くんは懲役《ちょうえき》２年執行《しっこう》猶予《ゆうよ》３年の判決を受け、それが確定しました。再度、覚せい剤の魔の手や欲求が迫《せま》ってきたときはぜひ、私や仲間たちの施設の力を借りて、戦ってほしいと心から思っています。

ＩＲ《統合型リゾート施設》は、日本に必要なのか

２０２０年9月、東京地検特捜部はカジノを中核とする統合型リゾート施設（ＩＲ）事業を巡《めぐ》る汚職《おしょく》事件で、中国企業側から賄賂《わいろ》を受け取ったとして秋元《あきもと》司《つかさ》衆議院議員を収賄容疑で再逮捕しました。秋元議員は保釈後、贈賄《ぞうわい》側の被告に嘘《うそ》の証言をする報酬《ほうしゅう》として現金の提供を申し込んだとして、組織犯罪処罰法違反（証人等買収）容疑でも逮捕されました。

ご存じのとおり、現行の日本の法律下ではカジノは違法であるため、２０１６年12月、「特定複合観光施設区域の整備の推進に関する法律（ＩＲ推進法）」が国会で成立しました。この法律により、日本の３つの地域でカジノをつくるこ

とが可能になりました。現在、千葉県、東京都、神奈川県、愛知県、大阪府、和歌山県、長崎県がカジノの誘致《ゆうち》を表明しています。これは、ラスベガスやマカオ、シンガポールなどのようにカジノを中心とするショッピングモールやホテル、アミューズメント施設、国際展示場などの施設を1カ所に統合して設置し、外国から多くの観光客を集めようとするものです。

たしかに、これが設置されれば（また、うまくいけば）、海外の例を見ても、莫《ばく》大《だい》な経済効果があり、多くの雇用《こよう》を生み出し、設置地域の活性化につながります。しかし、その一方で治安《ちあん》の悪化や犯罪者、反社会的勢力によるマネーロンダリング、ギャンブル依存症などの問題をもたらすというデメリットについても指摘されています。

この法案が生まれた背景には、トランプ米大統領（当時）から日本政府への強力な要請《ようせい》があったとも噂《うわさ》されています。カジノには多くの利権が絡《から》みます。

まして、日本はカジノについてのノウハウをまったく持っていません。マカオやラスベガスのカジノ王と呼ばれる資本家たちが暗躍《あんやく》し始めているという噂もある中での、この逮捕でした。

日本は賭博《とばく》を厳しく禁止し続けてきた国です。時代劇にもよく出てきますが、江戸時代以降、現在に至るまで賭博は違法行為でした。しかし、その陰では反社会的組織が賭場《とば》の開帳《かいちょう》や競馬などのノミ行為を闇《やみ》でやっていましたが……。こうした背景には「お金は働いて手にするもの」という倫理観があったと、私は考えています。

しかし、それにもかかわらず、日本は競馬などの公営ギャンブルやパチンコといった世界有数の賭博大国でもあります。その売り上げは公営ギャンブルで約8兆円、パチンコでは20兆円に及びます（２０１９年現在）。それに宝くじやノミ行為など裏社会で動いているお金も含めれば、毎年30兆円を超《こ》えるお金が賭博で動いているのです。

このような中で多くの悲劇が生まれてきました。私はこれまで公営ギャンブルやパチンコで生活できなくなった人をたくさん見てきましたし、家庭が崩壊《ほうかい》したケースもたくさん知っています。ギャンブル依存症となり、自分の力ではどうしようもなくなり、専門施設に救いを求めてくる人たちもたくさんいます。

私の友人の妻はパチンコにはまり、４００万円近い借金をしました。それを精算した友人（夫）が「もうやめるように」とたしなめたにもかかわらず、やめることができなかった。さらに２００万の借金をつくり、そのようになってしまった自分を悲観してパチンコ屋のトイレで自ら命を絶ちました。

これを「その個人の問題だ」と断《き》り捨てることは簡単です。でも、本当にそうでしょうか。このようなことが当然のごとく起きるからこそ、日本は長い間、法によって賭博を禁止してきたのではないでしょうか。禁止しているにもかかわらず特例として、その法に反する公営ギャンブルやパチンコを認めてきた、いままでの国の政策が生み出した悲劇なのではないのでしょうか。

労働は対価《たいか》です。そこでお金を手にするには汗を流して長い時間、働かなくてはなりません。労働は必ずそれに見合ったお金を手にすることができますが、ギャンブルやパチンコ、カジノはどうでしょうか。うまくいけば、あっという間にたくさんのお金を手にすることができます。たしかに魅力的です。しかし、忘れてはいけないのは、そのように成功する人の何百倍、何千倍の人は、あっという間にお金を失っているのです。

私は、日本にはカジノは無用だと考えますし、公営ギャンブルやパチンコ、宝くじについても今後、国民全体でその存続について考える時期に来ていると考えます。「人間には娯楽《ごらく》が必要で、公営ギャンブルやパチンコは必要だ」と言う人も少なくないことはわかっています。しかし、人に悲劇をもたらす可能性のある娯楽は本当に必要なのでしょうか。

追記

新型コロナウイルスの感染拡大によって外国人観光客が日本に来ることができなくなった影響で、ＩＲ問題については、その招致《しょうち》活動も、いったん落ち着いてきたようです。一方で、横浜市では招致を決定した横浜市長に対する反対運動も活発化しています。

私は、このような時期だからこそ、招致の意思表示をしている自治体の住民だけではなく国民全体で再度、これが必要なのかを再考すべきだと考えます。

「お金は、自ら汗を流して手にするもの」――その基本に立ち返りませんか。

東海大学野球部の大麻使用問題について

２０２０年10月、大学野球の名門・東海大学野球部で複数の部員が大麻《たいま》を使用し、無期限の活動停止となったことが報道されています。

外部からの通報を受けた大学が各部員から聞き取り調査をし、そのうえで大麻の使用を認めた部員たちが存在したことから、所轄《しょかつ》の警察署に通報。そして、野球部の寮の家宅捜索《かたくそうさく》をしてもらい、同時に使用を認めた学生たちについては大学の管理下に置きました。的確な対応だと評価します。これまでにもいくつかの大学の寮や学内で学生による薬物乱用が問題となったことがありますが、ここまできちんとした対応をしたことはありません。

大麻に関しては、使用のみでの逮捕《たいほ》立件はありません。所持で初めて犯罪となります。今回の場合、寮から大麻の現物は出ていないようですから、司法上の犯罪となることは、ほぼないでしょう。あとは使用した学生を大学、そして野球部の指導者がどのように指導し、更生《こうせい》させていくかが大切でしょう。

ただし、1つだけ忘れてはいけない大切なことがあります。それは今回、学生たちが使用した大麻をどのような経路《けいろ》で手に入れたかです。

たしかに、大麻については使用のみで罰することはできず、現物が発見されないかぎり（つまり、所持がないかぎり）、犯罪とはならず、そのすぐ手前で終わります。しかし、それを「譲《ゆず》り渡し」あるいは「密売《みつばい》」した学生や売人については、現物としての大麻がなくとも重大な犯罪となります。大麻をどのようにして手に入れたかを語らない学生については、犯人蔵匿（隠避《いんぴ》）の罪に問われる可能性もある重大犯罪です。

しかも、これは大学当局が調査することではなく、所轄の警察が使用を認めたそれぞれの学生の身柄をいったん確保し、任意か逮捕かはともかくとして捜査すべきことです。そして、流通経路・密売経路を特定し、その本体である密売元を摘発《てきはつ》しなければなりません。ほぼ間違いなく、その密売の本体には暴力団がかかわっているでしょう。それを警察が中途半端な捜査状況で終わらせてしまえば、それは大変な問題です。警察は速《すみ》やかに使用を認めた大学生たちを管轄下で事情聴取し、調書を作成し、検察による判断を仰《あお》いでほしいと考えます。

東海大学にお願いです。

関係した学生の身柄を速やかに警察当局に渡し、任意でよいので大麻の流通経路をきちんと説明させてください。それが彼らの再犯や薬物に近づく関係をきちんと断《た》つことになりますし、現在、大学生の間に拡《ひろ》がっている薬物乱用の元を絶つことにつながります。

東海大学にはもう1つ、お願いがあります。

関係した学生を単に退学処分で斬り捨てるのではなく、無期限停学処分でもよいので、一定期間、社会的な活動や奉仕《ほうし》をした場合は復学できる体制をつくってください。一度でも預かった大切な子どもたちなのですから。

追記

これまで多くの大学では学生のドラッグ乱用について、警察によって逮捕され、そして司法の場で裁《さば》かれた場合は、「当該《とうがい》学生を退学処分」として斬り捨ててきました。これは正しい処遇《しょぐう》なのでしょうか。

大学を退学させられるということは、その学生にとって未来を失うこととほとんど一緒です。せめて無期限停学処分として、罪を償《つぐな》い十分に反省した場合は再度、学生に戻る道をつくってほしいと、いままで多くの大学にお願いし続けてきました。これは、その学生たちを再びドラッグ乱用や犯罪の道に進ませないためにも一定の効果があると、私は考えます。

人はだれでも間違いは犯《おか》します。しかし、それをきちんと償えば、もう一度やり直すチャンスが与えられる。そんな大学になってほしいと考えます。

大麻合法論について

大麻の使用・所持による逮捕が続いています。

２０１４年秋の薬事法改正により、当時、広く密輸《みつゆ》・密売されていた危険ドラッグに対する取り締まりが厳しくなり、ほぼ流通が抑《おさ》えられたことから、国内で密売されているドラッグは覚せい剤、コカイン、大麻の３点となりました。とくに大麻は、その乱用者を急増させています。

これには理由があります。あらゆるドラッグの中で日本国内で簡単に製造できるのは大麻だけだからです。北海道や一部地域では自生《じせい》していますし、種子さえ手に入れば、ある程度の知識があれば容易に大量栽培することができます。

暴力団による大量栽培や一般の人たちによる栽培が行われ、事件化しています。そして、その乱用は拡がり、芸能人や官僚《かんりょう》、一般市民、高校生、中学生、小学生の逮捕者も出ています。

とくに、新型コロナウイルスの感染拡大によって外出自粛《じしゅく》が求められる中で、家に閉《と》じこもらざるを得なかった若者たちがネットなどで大麻を手にし、乱用を繰り返しています。その結果、報道されているように、いくつかの大学や大学の部活動で乱用が拡がり、逮捕者も出ています。

この背景には、今回の状況下で飲食店や風俗店からの「みかじめ料」の徴《ちょう》収《しゅう》が減り、主な収入源である「売春《ばいしゅん》」からの収入も激減した暴力団がドラッグ、とくに大麻の密売による収入確保を狙《ねら》っていることもあります。

大麻について、オランダやカナダ、アメリカの一部の州が合法化《ごうほうか》していることから日本でも認めるべきだと主張する人たちがいます。大麻合法論者です。

これは間違いです。

他国で大麻を合法化したのは、それらの国でのヘロインやコカインなどのヘビードラッグの乱用が拡がり、そうしたヘビードラッグで壊《こわ》れていく国民を少しでも少なくするためにはライトドラッグである大麻を認めるしかない、という事情があります。また、ドラッグは各国のマフィアなどの暴力組織の主要な資金源であり、それを抑え込みたいという理由があります。日本でも覚せい剤やコカインなどの乱用は拡がってきていますが、関係機関の徹底した取り締まりにより、ある程度のところで抑えきれています。

一部の人たちの中には、大麻はほかのドラッグに比べると依存性が低く、たばこのように乱用しても社会に対する脅威《きょうい》とはならないという意見もあります。しかし、法によって禁止されている大麻を何年も乱用して逮捕される例を見ると、その考え方には問題があります。

忘れてはいけないことですが、いま日本で流通している大麻の大半は暴力団によって密輸・栽培されたもので、彼らの資金源になっています。

大麻は、それを使用すると脳に作用し、幻覚《げんかく》や陶酔感《とうすいかん》、多幸感《たこうかん》をもたらします。しかし、それと同時に脳に報酬《ほうしゅう》回路をつくり、その作用が切れたときに脱力感や無気力な状態をつくります。私は大麻の乱用によって一生、精神障害を抱《かか》えることになった若者たちをたくさん見てきました。こんなものがなくても、もっとすばらしい幸せは来るのに……。

最後に忘れてはいけないことがあります。

ドラッグは病《や》んでいる社会でしか広まりません。みんなが、とくに若い人たちが明日を夢見る社会には、ドラッグは無用なのです。大麻の合法化よりも、まずは私たちの社会を変えるべきなのです。幸せは私たちが自ら努力して手に入れるものであって、大麻などのドラッグによって、また、その力を借りて一時的に手に入れるものではありません。そんな幸せがもたらす結果は、破《は》滅《めっ》だけです。

追記

まさに、この原稿を書いているいま、アメリカ全土で大麻の使用を合法化する法案が史上初めて可決されたという報道が流れました。下院議会で過半数を占める民主党議員の賛成によるものです。上院議会は大麻の合法化について反対の姿勢を保《たも》っている共和党が過半数を占《し》めていますから、最終的にはこの法案が通過して合法化することはないでしょうが、これが日本国内の大麻合法論者たちの大きな力になることを危惧《きぐ》しています。

日本の選挙、投票の制度は変えるべき

２０２０年11月、大阪で「大阪都構想」についての住民投票が行われました。その結果、僅差《きんさ》で都構想は否決されました。私はこれを見ていて、日本の選挙制度の大きな問題に気づきました。

ここでは、それについて書きます。

この住民投票において問われたことは、都構想に対してそれを「認めるか」「認めないか」です。言い換《か》えれば「イエスか」「ノーか」です。

私は、大阪の住民ではない部外者ですが、新聞やいろいろなメディアの情報を精査《せいさ》しても、「なぜ、都となる必要があるのか？」あるいは、「都となることが将来の大阪市民のためにどれだけの福利をもたらすのか？」がまったく理解できませんでした。これは、おそらく多くの大阪市民も同じ思いだったと思います。でも、そのようなかぎられた知識や情報の中でも「イエス」「ノー」を決めて投票しなくてはならない。これは非常に厳しかったと思います。

なぜ、こんなことになってしまったのでしょう。それは簡単です。日本の投票や選挙制度に問題があるからです。

たとえば、今回の住民投票に「なぜ、こんな住民投票を行うのかわからない」と考える人たちのために白票《はくひょう》投票が許され、この「白票」が1票として認められ、それが「都構想反対票」として加えられれば、おそらく大阪市長も、大阪府知事も、いや大阪維新の会そのものが責任をとって即時辞任《じにん》・解散すべき結果となったでしょう。

ここまでは大阪について書きましたが、国政についても同じです。

現在、衆議院の選挙区選挙は小選挙区制となっています。つまり1選挙区から1名を選出します。その選挙区に、自分の国政に対する思いを託《たく》すことのできる候補がいない場合は「白票」を投《とう》じ、その「白票」も1票として認め、それが各候補の票を上回った場合は、その選挙に出馬《しゅつば》したすべての候補は退《しりぞ》き、再度、新しい候補で再選挙を行う。私は日本の投票や選挙制度は、このようなかたちに改革すべきだと考えます。

国政選挙も、地方選挙も、住民投票も、いずれも国民の大切な権利です。そして、投票しない人たちは「無関心な人たち」と誹《そし》られます。でも、本当にそうでしょうか。投票に値《あたい》する人がいないから選挙に行かないという人たちもたくさんいます。その人たちの権利を守り、否定する自由を確保するためにも、「白票」を大切な1票として認める制度が必要だと私は考えます。

投票に行かないことは、ある意味で国民としての権利の放棄《ほうき》です。でも「白票」を投じることは、きちんと政治に参加した1人の人間の意思表示です。それを認める選挙制度改革を求めます。

追記

この記事がネットニュースに掲載された瞬間から、すさまじい数の意見が私のもとに届きました。当然、そのほとんどは私に対しての批判でした。私も、そうなるであろうことはわかっていて、敢《あ》えて書きました。

日本で、本当の意味での民主主義がきちんと成熟していくためには、選挙民である国民の意識や知識が、さらに高められる必要があります。私は高校の社会科の教員でしたから生徒たちには教え続けてきました。それと同様に、政治家は日々、選挙区の市民や国民に対して、自分や所属する政党が取り組んでいる政策や立法化した項目について丁寧に説明しなくてはなりません。

今回の「大阪都構想」問題では、賛成派も反対派も、もっと詳《くわ》しく説明する義務があったと考えます。私は大阪にたくさんの友人がいますが、その多くがこの問題については「よくわからない」と話していました。

それでは「大阪都構想」について、それまでの賛成派、反対派の説明では判断できない人たちはどうしたらいいのでしょう。選挙を棄権《きけん》すればいいのでしょうか。この問題に無関心ではないけれども、どちらに投票していいのかわからないという人も、自分の意見を票によって訴《うった》える権利を持っています。ですから私は、白票も1票として認めるべきだと書いたのです。

ただし、その白票を反対票に加えればよいという考えは、私の間違いです。謝罪《しゃざい》したうえで訂正します。

「白票が賛成票や反対票より多かった場合は、多くの住民が理解できない住民投票を強行《きょうこう》して市政・府政を混乱させた責任をとって、大阪市長も大阪府知事も、いや大阪維新の会そのものが責任をとって即時辞任・解散すべきです」

国政選挙であっても同じです。立候補した候補者の中に自分が支持したい候補がいない場合は、白票でそれを拒否する権利を国民に付与《ふよ》すべきだと考えます。みなさんは、どう考えますか。

千葉県立高校での人権侵害について

２０２０年６月、千葉県の県立高校で、女子生徒が髪を染色《せんしょく》しているのではないかと、生徒指導の教員たちが髪を黒くするヘアスプレーを吹きかけたという報道がなされました。この件については、弁護士会が「体罰に準じる行為」として関係機関に警告書を出したようです。

私は39年前、初めて横浜市の高校に赴任《ふにん》し、生徒指導を担当することになりました。当時、私の勤務する高校では「生活指導検査」という名目で、毎日のように生徒指導の教員が校門に立ち、登校する女子生徒のスカートの丈《たけ》や髪の色を検査していました。スカートの丈が膝上《ひざうえ》5センチ以上だったり、髪を染《そ》めている場合は学校には入れず、家に戻って、スカートの丈を直したり髪の色を黒くして再登校するように指導していました。

私は、すぐに職員会議で「この行為は生徒たちへの人権侵害であり、帰宅させることは教育を受ける権利の侵害《しんがい》である」と話しました。また、「なぜ、スカートの丈が規制されているのか」「なぜ、髪を染めることを学校が禁止しているのか」を、時間がかかっても生徒たちに理解してもらい、自ら納得して変えていくことが本来の教育のあるべき姿だと訴えました。

しかし、多くの教員は、「校則によってすでに決められたことである」という理由で反対し、理解されませんでした。「検査をやめてほしい」という提案は通りませんでしたが、生活指導検査の回数は減り、強制的に帰宅させることもなくなりました。

あれから39年の月日が過ぎています。

現在、神奈川県では多くの公立高校、そして私立高校でも、制服の異装《いそう》や髪の色、ピアスなどの装飾《そうしょく》について、それを強制的に指導することはなくなっています。むしろ、学校は知識や技術、社会の常識を学ぶ場であって、そのようなかたちでの自己主張を行う場ではないということを、時間をかけても、指導しています。

教育は罰や強制で支配されてはいけないものです。たしかに、こうした方法を用いれば、生徒たちはそれらに対する恐怖で表面上は従《したが》い、学校自体も落ち着き、見た目はすばらしいものになるかもしれません。しかし、ここに教育はありません。生徒たちは、その本質を理解せず、ただ「退学させられたくない」「叱《しか》られたくない」という理由から従っているだけで、その圧力から脱したときには、その反動で自由を謳歌《おうか》するだけです。

本来、生徒指導のあるべき姿は、学校がなぜ異装や染髪、ピアスなどを認めないのか、その理由をきちんと理解させることにあります。それができないのなら、あるいは、それを説明できるだけの正当な理由がないのならば、認めればいいのです。ただし、そのことがもたらすかもしれない危険や不利《ふり》益《えき》も教えたうえで……。

今回の千葉の県立高校のケースは異常です。生徒の髪の毛を強制的にヘア

スプレーで染めています。県教育委員会は「同意を得た」と話しているようですが、同意があろうとなかろうと、他者の髪の毛を強制的に染める行為は犯罪です。弁護士会は「体罰に準じる行為」と言っていますが、これは体罰どころか傷害行為であり、人権侵害です。この女子生徒が、どれだけの精神的な苦しみを味わったか。

かかわった教員、そして管理職、教育委員会の関係者、教育長は、速やかに責任をとるべきです。また、警察は傷害事件として、法務省は人権侵害事件として動くべきです。

追記

30年前、私は全日制高校から夜間定時制《ていじせい》高校に異動《いどう》しました。校務分掌《ぶんしょう》は生徒指導でした。

私の最初の仕事は始業式の日、開始時間までに生徒たちをきちんと整列させ、静かに式を待たせることでした。壇上から体育館を眺《なが》めて、私は圧倒《あっとう》されました。至るところで仲間同士で円座《えんざ》を組み、大声で話す生徒たち。その生徒たちの間を教員たちが、「ほら、早く整列しろ！　しゃべるな」「言うことを聞かないと、今日は欠席扱《あつか》いにするぞ」と怒鳴《どな》り、脅《おど》しながら歩き回って指導していました。

私は、同僚の生徒指導の教員をすべて集めて頼《たの》みました。

この場は私に任《まか》せてほしい。まず、全教員は体育館の外に出て待っていてほしい。そして、体育館のすべての扉《とびら》に鍵《かぎ》をかけ、私が連絡するまで遅れてきた生徒を入れる以外は開けないでほしいと――。

そして、私は壇上からすべての生徒たちに話しました。

「生徒全員がきちんと整列し、静かになるまで始業式は行わない。明日の朝までも待っている。体育館には鍵をかけたので、それまではここから出せない」と。

苦情《くじょう》の嵐《あらし》です。私のところに喧嘩《けんか》を売りに来た生徒もいました。それでも私は壇上で立って待ちました。1時間経過したころから、動きが出ました。

「おい、あいつ、本気だぞ。このままだと朝までここから出られない。ほら、みんな並べ。静かにしろ！」

生徒同士がお互いを注意し合っていました。1時間半経《た》ったころには、全員がきちんと整列し、静かになりました。

「みんな、ありがとう。でも、大切な時間を1時間半失ったね。これだけの時間があったらいろいろなことができたのに……。最初から静かにしていた生徒には本当に迷惑をかけました。許してほしい」

そして、これからも私は生徒全員が整列して静かになるまでは、いかなる行事も始めないことを生徒たちに伝えました。

　この日以来、生徒たちは、あらゆる行事で、最初からきちんと整列し、静かにしてくれました。

　私は、これが本来の教育の在《あ》り方だと考えます。脅しや強制ではなく、きちんと理解してもらうこと、それが教育の本質だと信じて、これまで生きてきました。これにはたくさんの時間がかかります。また、たくさんの生徒たちと直に触れ合い、理解し合うことが必要です。それなしには、いかなる教育も成立しないと、私は信じています。

殺人被害者の人権にも配慮を

２０２０年12月、東京都豊島《としま》区の35歳の女性が行方不明となり、栃木県那須《なす》町《まち》の別荘地で遺体が発見されました。その後、近くに住む男性が死体遺棄《いき》容疑で逮捕され、警視庁は殺人容疑でも捜査を続けています。

この事件について新聞、テレビ、ネット、週刊誌などが報道する中で、また も殺人被害者の人権を無視した哀しい報道がなされました。新聞やテレビの報道については、私が確認したかぎり、ほとんど問題はなかったのですが、一部のネットニュースや週刊誌で、遺体の発見状況について「服を着ていない状態で発見」（このカギカッコは記事より）という報道がなされました。

これは、報道しなくてはならない情報だったのでしょうか。また、この部分に敢えてカギカッコをつけたのは、どのような理由からでしょうか。これは、殺された被害者やその遺族の方々を、さらに哀しみに追い込み、傷つける、意味のない、それどころか報道倫理に反する悪意のある報道ではないでしょうか。

私には、哀しい思い出があります。

いまから42年前、私の大学の友人の妹が殺されました。遺体が発見さ

れた次の日の新聞各紙には「全裸《ぜんら》遺体発見」と大きく載《の》りました。この記事は、大切な妹・娘を亡くした友人とその家族をさらに苦しめることとなりました。その姿を見ていた私と仲間たちは、すぐに新聞各社を訪ね、この記事の責任者たちと面会して、このような報道をした理由を聞きました。そして、その報道が亡くなった人のみならず、その家族をさらに追い込んでいることを話し、謝罪を求め、二度とこのような報道をしないでほしいと求めました。

私はいまも、当時の担当者たちが一様に繰り返したことばを覚えています。

「自分たちは警察から発表された事実をそのまま伝えただけであり、それは報道の義務である。また、市民はその事実を知る権利を持っている」と。

私が「それではもし、あなたの娘がこのように事件の被害に遭って、このように新聞で報道されたら、あなたはそれを許せますか？」と問うと、返事はありませんでした。

あれから、42年の月日が流れました。

今回の報道を見ると、ほとんどの新聞やテレビの報道においては一定の良識《りょうしき》が働いているようです。しかし、一部のネットニュースや週刊誌は、良識よりも派手で好奇な記事を書いて注目を集めることのほうが大切なようです。

みなさんにお願いです。

被害者は、自分の思いや考えをひと言も伝えることはできません。その被害者のことを考え、このような報道をしてしまうネットニュースや週刊誌を敢えて読まない、手にしない良識を持ってください。亡くなった被害者やその家族を二度苦しめることは、あまりにも残酷《ざんこく》です。

追記

報道に携《たずさ》わる記者たちは、だれよりも早く、だれよりも正確に、だれよりも多くの情報を集めようとします。そして、集めた情報を報道していきます。彼らの働きにより、私たちは日本国内各地のみならず、世界の情報を簡単に手にすることができます。感謝以外のことばはありません。

しかし、忘れてもらっては困ることがあります。

その報道がいかに事実であろうとも、書かなくてはならないこと、書く必要のないこと、書いてはいけないことをきちんと判断して記事にしてほしいということです。これは「報道倫理」と呼ばれています。この「報道倫理」をすべての記者とすべてのメディアにきちんと持ってほしいと考えます。

神戸 児童相談所が深夜に女児を追い返した事件

2020年（令和2年）2月10日の深夜、小学6年の女児が神戸市こども家庭センター（児童相談所）に助けを求めて訪れ、夜間窓口に、「家庭内でトラブルがあり、家を追い出された」と申告したところ、当直業務にあたっていた委託相談員は女児の年齢や名前などを確認せず、インターホンの画面越しに「警察に相談しなさい」と追い返した。女児はその後、300m離れた交番を訪れ、保護された。後日、記者会見で、神戸市が謝罪した。

槇原敬之 覚醒剤取締法違反で2度目の逮捕

シンガー・ソングライターの槇原敬之が2018年（平成30年）3月～4月ごろ、東京都港区の仕事場で指定薬物（通称RUSH）や覚醒剤を所持していたとして、2020年（令和2年）2月13日、覚醒剤取締法違反（所持）、医薬品医療機器法（旧薬事法）違反の疑いで警視庁に逮捕された。槇原容疑者は1999年（平成11年）8月にも覚醒剤取締法違反で現行犯逮捕され、有罪判決を受けていたが、その後も薬物の使用を繰り返しており、常習性・依存性があり、薬物への抵抗が乏しいとして東京地裁は2020年（令和2年）8月3日、懲役2年執行猶予3年（求刑懲役2年）の判決を言い渡した。

総合型リゾート（IR）事業を巡る汚職事件

2019年（令和元年）12月25日、カジノを含む統合型リゾート施設（IR）事業を巡り、スポーツくじなどを展開する中国企業「500ドットコム」から、現金300万円や70万円相当の利益供与を受けたとして、東京地検特捜部は自民党の秋元司衆議院議員（当時）を収賄容疑で逮捕した。その後、2020年（令和2年）1月14日、中国企業から350万円の賄賂を受け取ったとして再逮捕。さらに保釈中の8月20日、中国企業の元顧問に裁判で虚偽の証言を依頼し、報酬3000万円の提供を持ちかけた疑いで3度目の逮捕。9月9日には、別ルートでも贈賄側に偽証を依頼し報酬を渡そうとしたとして、組織犯罪処罰法違反（証人等買収）の疑いで4度目の逮捕。9月30日、東京地検特捜部は秋元被告の保釈を取り消し、保証金3000万円を没収する決定をした。また、この事件で秋元被告への贈賄罪などに問われた中国企業の元役員に対し、2021年（令和3年）2月3日、東京地裁は懲役2年、執行猶予3年（求刑懲役2年）を言い渡した。

東海大学野球部の大麻使用問題

２０２０年（令和２年）10月16日、神奈川県警が東海大学硬式野球部の寮を家宅捜索、その後の捜査で２人の関与を特定した。翌日、東海大学は記者会見を行い、複数の部員による薬物の使用が判明したため、同部を無期限の活動停止処分としたことを発表した。神奈川県警は４年生の部員２人を大麻取締法違反（所持）の疑いで書類送検。12月16日と18日、横浜地検小田原支部はそれぞれ不起訴処分とした。12月21日、東海大学はこの２人を無期停学処分に、監督、部長、コーチら指導者を厳重注意とした（12月25日、監督は辞任）。２０２１年（令和３年）２月１日、同部は新監督の下、活動を再開した。

「大阪都構想」についての住民投票

「大阪都構想」とは、大阪府と大阪市の二重行政を解消するため大阪市（人口２７５万人）を廃止して特別区を創設。大阪市が担う施策のうち、大型のインフラ整備など広域にわたるものを大阪府に移し、特別区は教育や福祉など身近な行政に集中するという構想のこと。２０１５年５月に行われた第１回住民投票では僅差で否決された。その後、修正協議を重ね、「現状の大阪市24区を再編成し、新たに４つの特別区を創設。特別区は選挙で決めた区長と区議会を持ち、他の市町村と同じく税の徴収や条例の制定ができるようにする」というしくみについて直接、住民の判断を仰いだ。２０２０年（令和２年）11月１日に行われた２度目の住民投票は２００万人以上の大都市で特別区を設置する場合に求められる「大都市地域特別区設置法」に基づくもので、有権者数は２２０万５７３０人、投票率は６２・３５％、反対69万２９９６票（５０・６３％）、賛成67万５８２９票（４９・３７％）で否決された。

女子生徒の髪にスプレー

千葉県の県立高校で、女子生徒の髪先が赤みがかっていることを校則違反とみなした教員が２０１９年（平成31年）３月、本人の同意なく頭にポリ袋をかぶせ、髪に黒染めスプレーを吹きかけた。これについて、女子生徒の母親が千葉県弁護士会に人権救済を申し立て、調査を依頼していた問題で２０２０年（令和２年）11月６日、弁護士会は「こうした行為は精神的に大きな屈辱を与え、体罰に準ずる」との見解を示し、県教育委員会や学校に対して警告書を提出した。

東京都豊島区の女性殺害事件

２０２０年（令和２年）９月下旬から行方不明になっていた東京都豊島区の会社員の女性が同年12月、栃木県那須町の別荘地の土中から遺体で見つかったと報じられた。逮捕された保育士の男は９月23日、面識のない被害女性を尾行してマンションを突き止め、無施錠を確認。翌24日夜に金銭目的で侵入したが、抵抗されたのでロープで首を絞めて殺害し、鍵や金品を奪ったと供述。殺害の翌日には車で那須町の別荘地に移動し、親族名義の別荘に遺体を保管。27日に再び別荘を訪れ、スコップを使って遺体を埋めたとされる。警視庁は12月７日、容疑者を死体遺棄容疑で東京地検に送検した。

第2章

新型コロナに翻弄された日々

新型コロナウイルスについて

２０２０年、最も報道された問題は新型コロナウイルスについてでしょう。しかし、私はいまのいままで、この問題について一切、語ることをやめてきました。それには理由があります。

報道をする側には責任があります。真実をきちんと報道しなければならない責任が――。きちんとわかっていないことを中途半端に報道することは、許されることではありません。

２０２０年２月27日、安倍《あべ》晋三《しんぞう》首相（当時）は、新型コロナウイルスの感染拡大を防ぐため、全国すべての小・中・高校、特別支援学校を３月２日から春休みまで臨時休校とすることを要請《ようせい》しました。これについて「政府がそこまで踏《ふ》み込むことの是非《ぜひ》について話してほしい」と、あるテレビ番組から私に出演依頼がありました。

そこで、私は叔父《おじ》に取材しました。叔父は北海道にある獣医系の大学の名誉教授で、専門は動物の感染症でした。

私はそのとき、叔父から言われたことばをいまも忘れることができません。

「すべての感染症は初動態勢《しょどうたいせい》ですべてが決まる。鳥インフルエンザでも、狂《きょう》牛病《ぎゅうびょう》でも、動物コロナウイルスでも、ともかく発生したら即座に感染した鳥や動物をすべて処分し、その感染拡大を抑《おさ》える。ワクチンを待つまでもなく、ともかく感染拡大を止めようとする。それが最初にしなくてはならないことだ。修《おさむ》、俺たちもつらいし、哀しい。手塩にかけて育てた牛や豚、鳥を一挙《いっきょ》に処分する。飼っていた人たちも泣く。俺たちも泣く。でも、しょうがないんだ。

感染症を抑え込むには、まずはそれしかないし、そうしなくてはならない。初動ですべてが決まる。ただ、今回のような人間の感染症の場合は、感染した人を処分するわけにはいかない。そこに問題がある。また、このようなウイルスは動物から人へ、人から動物へ、そして人から人へと感染していく中で、さまざまに変異《へんい》していく。それが弱毒化《じゃくどくか》するケースもあるが、逆に強毒化《きょうどくか》するケースもある。その感染をいかに早く抑制するかが、この変異を止める意味でも大切だ。だからこそ、鳥や動物は感染した場合、即座に処分している。それが鳥や牛、豚を飼っている農家の人たちの生活を壊《こわ》すことになっても……。現在の状況では学校を閉《へい》鎖《さ》することはあたりまえとして、ともかく人間同士の接触《せっしょく》をできれば1カ月、少なくとも2週間、完全になくせば、すでに感染した人の中で死者は出るかもしれないが、今回の新型コロナウイルスを国内から除去《じょきょ》できる。その反動で日本の経済は大変な状況になるだろうが……。でも、大切なのは命。経済は立て直しができても、失った命は取り戻すことができない。そこまで、おまえが話すことができるなら、テレビで話せばいい。また、このことはきちんと話してほしい」

私は、この叔父のことばを聴《き》いて、私を育ててくれた祖父（叔父の父）を思い出しました。祖父は明治34年生まれ、生粋《きっすい》の明治の人でした。いつも私に言っていたのは「中途半端はゼロ」。それを、身をもって貫《つらぬ》いた人でした。

私は、この叔父のことばをそのままテレビ局の担当に伝えましたが、「鳥や動物の場合はすべて処分する」という部分が、どうも過激《かげき》すぎたようで、出演は見送りとなりました。

あれ以来、この問題についてはかぎりなく報道されてきました。それらの報道に触れるたびに、私はこの問題について語りたくなくなりました。

その反面、私はどんな方法を用いてでも、テレビで叔父の話をきちんと伝えるべきだったと後悔しています。もしも、あのとき1カ月間、海外からのすべての渡航に対して制限し、帰国時の隔離《かくり》などの対処を徹底し、すべての経済活動を停止し、国民の移動を制止すれば、このような状況にはなっていなかったのではないでしょうか。

政府がこれまで繰り返してきたのは「ウィズ・コロナ」。愚《おろ》かなことばです。この新型コロナウイルスと共に、どう生きていくのか。これ自体が動物疫学《えきがく》の世界ではあり得《え》ない愚かな発想だったのではないでしょうか。

日々、発表される感染者や死亡者数に一喜一憂《いっきいちゆう》し、感染者が少し減ったからといって、政府は経済対策として「Ｇｏ Ｔｏ キャンペーン」を推進。その結果、世論を二分し、分断を生んでしまいました。こんな状況をつくったのは、まさに報道のいい加減さだと感じています。

「中途半端はゼロ」。いまなら多くの人たちが、このことばを理解してくれるはずです。

追記

新型コロナウイルス問題は少なくても２０２１年まで、世界を揺《ゆ》るがす問題として続いていくようです。経済保護と疫学的社会封鎖《ふうさ》。この二律背反《にりつはいはん》の問題についてきちんと正論を語る報道は、まず見あたりません。

また、政府はこのような困難な状況にもかかわらず、東京オリンピック・パラリンピックを多額な追加予算を行使《こうし》しても実施するつもりです。国際交流が制限されていく中で、何のためのオリ・パラなのか。そのために使う膨大《ぼうだい》な予算、すなわち、私たちから集めた税金を国内の医療の充実や他国の医療充実のために使うことのほうが、本来の意味での世界平和や国家間の交流のために役立つはずです。

こうしたことをきちんと語ることのない各報道機関には、大きな失望感を抱《いだ》いています。

休校中の子どもたちを見捨てた政府

政府の要請を受けて、２０２０年3月2日から春休みまで、全国すべての小・中・高校、特別支援学校は臨時休校となりました。この休校措置《そち》は、その後もほとんどの地域で5月の連休後まで続きました。

当時のヨーロッパなどでの感染拡大の状況を見れば、私はこの判断は正しかったと考えていますが、この結果、各地で多くの問題が生じています。直接、子どもたちに関係する問題だけを整理してみます。

①すべての学校が、児童・生徒やその保護者に対して、臨時休校する理由をきちんと理解してもらうだけの指導を行うことができたのか。それができてい

ないために、単なる休みと勘違《かんちが》いし、自由になった時間を遊びのために使っている家族や児童・生徒がいるのではないか。

②この休業中も、本来ならば学校で過ごす時間は、その時間割に従《したが》って自主学習などの教育的活動に充《あ》てるべきなのに、学校現場はその課題や指導をしているのかどうか。

③家族が働いているために家庭で孤立《こりつ》せざるを得ない児童・生徒に対するケアは、すべての学校でできているのか。

④家庭や子どもたち自身に問題を抱《かか》えている児童・生徒へのケアは、絶《た》えることなく行われているのか。

⑤給食がなくなったことによって、きちんとした昼食を摂《と》ることのできない児童・生徒に対するケアはきちんとなされているのか。

　学校が休校になって以来、私のもとには24時間、大変な数の相談が寄せられています。それらを見るかぎり、前述の５つの問題に対して、各地の教育委員会や学校の取り組みは不十分だと考えざるを得ません。

子どもたちの中には、なぜ学校が休校になり、空《あ》いた時間をどのように過ごせばよいのかがわかっていなかったり、指導も受けていない児童・生徒も少なからずいます。授業に対するケアも不十分で、ただ課題を生徒に与えただけで、教員によるリモートあるいは電話などで、満足な指導が行われていない学校もありました。

また、各地の子ども食堂や一部の商店街・企業などは、給食の提供を受けられなくなった子どもたちの命を守るために昼食の提供に動きましたが、国や自治体からの直接的な援助《えんじょ》はほとんどなく、金銭的・運営的に追い詰められているケースもあります。

なぜ、このような問題が生じたのでしょう。

その理由は簡単です。

政府および文部科学省は休校を命じただけで、その後の対処について十分な指導や予算編成をしなかったからです。せめて小学1年生から中学3年生までの義務教育のすべての科目について、教科ごとに毎日、インターネットで模範《もはん》授業を配信したり、プリントを配布することで、児童・生徒の「教育を受ける権利」を守ることができたのではないでしょうか。また、それをしなければならなかったにもかかわらず、予算や人員、機材を与えることもなく、すべてを各教育委員会や学校に丸投げしてしまいました。これは、政治、そして行政の怠慢《たいまん》以外の何物でもありません。

そのような中でも、現場の教員たちが必死に努力したことには感謝するしかありませんが、不十分な部分もありました。

これは将来、絶対に検証《けんしょう》しなければならない大きな問題です。

追記

子ども食堂については、政府が備蓄米《びちくまい》を提供するなどの補助をしてくれました。これは、超党派による「食品ロス削減《さくげん》及びフードバンク支援を推進する議員連盟」で事務局長を務《つと》めている竹谷とし子参議院議員が国会審議《しんぎ》で取り上げるなど、必死で農林水産省に無償提供を働きかけてくれたからです。感謝です。ただし、１カ所の子ども食堂に対して上限60キロの量です。たしかに助けにはなりましたが、どの子ども食堂でも、わずか数日分の量です。

また、このような状況下で、教育分野でもＩＴ化を進めようとする動きが急速に進んでいます。児童・生徒にタブレットコンピューターを配布し、それを活用することで常にリモート授業が可能となり、またテキストも教科書からデータファイルになることにより、子どもたちが通学時に重たいかばんを持たなくてよくなる。こうしたさまざまな可能性が語られています。

しかし、それは本当に教育の明日となるのでしょうか。

私は、その確信を持つことができません。手で文字を書かなくなれば、子どもたちはきちんと文字を書くことができなくなります。私は大学で教えていますが、学生たちがきれいに、かつ正確に文字を書くことができなくなっていることを年々、感じています。コンピューターで計算するようになった子どもたちは、掛け算九九《くく》や暗算ができなくなってしまうのではないかとも危惧《きぐ》しています。

教育のＩＴ化については、もう少しゆっくりと落ち着いて考えていくべきものだと考えます。

学校の9月入学について

新型コロナウイルスの感染が拡大する中、政府が全国の学校に休校要請してから2カ月の月日が過ぎました（2020年5月現在）。

いまだ学校教育を全国で一斉《いっせい》に再開する状況にはありません。当然のことですが、5月以降まで休校が続けば、もはや夏期、冬期、春期の休業期間や土曜を授業日としても、学習を保障することは不可能となります。

そうした中、一部の知事たちがこの機会に日本の教育制度を変更し、世界の主要国の多くが実施している9月入学に変更することを提案しています。

しかし、これには多くの課題と問題があります。

実は明治時代、日本が西洋から教育制度を導入《どうにゅう》した当初は9月入学でした。ところが、１８８６年に暦上《こよみじょう》の1年（1月から12月まで）とは別の年度（4月から3月まで）を「会計年度」として設定し、政府の活動や経済活動をこの年度によって行うことにしたのです。それに併《あわ》せて学校も4月入学となり、現在も踏襲《とうしゅう》しています。

このような年度の設定には理由があります。当時の政府の財源は国民の多数を占《し》める農家からの税金でした。農家は秋（9月ごろ）に収穫《しゅうかく》した米を売って現金にし、それを納税《のうぜい》しました。当然、納税の時期は10月から11月ですから、それを元に国家の予算編成をするには12月では間に合わなかったのです。

さて、学校の9月入学への変更については、これまでも多くの場で何度も検討されてきました。その論点の中心となっているのは留学問題です。グローバル化する国際社会において、日本が4月入学の制度を敷《し》いていることによって、日本からの（あるいは日本への）留学生たちに、約半年近い空白の時間をつくるという不利益《ふりえき》をもたらすことが問題だとされています。

どうしても日本の教育制度を9月入学に変更するのであれば、それには条件があります。それは会計年度を9月から8月に、あるいは暦上の1年（1月から12月まで）に変更することです。もし、それをせず拙速《せっそく》に9月入学を導入すると、日本に3つの1年ができてしまいます。暦上の1年と年度、そして学校での1年です。これがどれほど日本社会の混乱と生徒たちへの不利益をもたらすかは明らかです。

また、この変更には各学校現場の周到《しゅうとう》な準備が必要です。

ちょうどいま、教育の空白期間ができました。それをきっかけに、今年（2020年）の9月から新学期を始め、そして体制を変えようと言われても、それに対応することはほぼ不可能です。どんな学校もきちんと1年間の年度計画を立てて、教育や学校運営を行っています。それは、そのままスライドして実施できないものもたくさんあります。

また、就職問題もあります。現行では4月に行っている新卒採用を、9月に変えてもらわなければなりません。すべての企業が簡単に対応することはできないでしょう。それに加えて、本来ならば来年4月から就職するはずの生徒たちの就職が5カ月遅れることで、各家庭の負担が増

加します。それをだれが補償するのでしょうか。ここでは、かぎられた字数でしか書けませんが、これ以外にも多くの問題があります。

９月入学について言及《げんきゅう》した知事の方々は、その発言の前に現場の教員や教育の専門家からきちんと意見を聞いてほしかったと考えます。教育制度を熟知《じゅくち》しない人たちの無責任な発言で、現場を、そして子どもたちを惑《まど》わせないでください。

追記

この９月入学の問題については、この後、多くの教育現場や財界からの反対もあって白紙に戻りました。しかし、いまだに他国の教育制度との調和のためにも、いずれ変更すべきだと考えている人たちはたくさん存在します。

私は、これには反対です。

私は大学時代、ドイツに留学しました。学年修了とともに5月にドイツに渡り、そこで語学学校に通ってドイツ語を学び直し、9月からドイツの大学に通い始めました。この半年間がなく、すぐに大学で学び始めていたら、当時の私の語学力では授業についていかれなかったでしょう。

また現在、私は大学で教えていますが、諸外国からの留学生が多く学んでいます。彼らから話を聞いても、早めに日本に来て数カ月間、日本語を学び直してから大学で勉強を始めたことが、いかに役立ったかをみんな語ります。

さらに、彼らの多くは留学が終わってから本国の大学に戻るまでの数カ月を使って日本各地を旅し、日本の文化や社会に深く触れて帰国していきます。

9月入学を声高《こわだか》に語る人たちへ言いたいことがあります。

教育にとって最も重要なのは効率ではなく、ゆとりだということを。

国からの特別定額給付金について

新型コロナウイルス感染拡大に伴う緊急経済対策として、国は全国民に特別定《てい》額《がく》給《きゅう》付《ふ》金《きん》10万円を現金支給しました。すでに、ほとんどの国民が受け取ったと思います。

菅《すが》義《よし》偉《ひで》官房長官（当時）は記者会見で、「（あなたは）給付金を申請《しんせい》するか」という記者の質問に答えて、「常識的にはしないと思う」と答えました。このことが報道されると国民から多くの批判を受けました。

私も問題があると考えています。その問題とは「常識的」ということばにあると考えます。

菅氏には「自分のような政治家や恵まれた環境にいる人は給付金を申請すべきではない」という思いがあるのでしょう。それならば、菅氏のような恵まれた人にまで給付金を配るという政府の政策は「非常識」となります。政府の要人が語るべきことばではありません。本来は、「個人の良識の範囲で考えます」という答えに留《とど》めるべきだったでしょう。

また、広島県の湯崎《ゆざき》英彦《ひでひこ》知事は、県職員が受け取る給付金を集めて県内の事業者の休業支援などに活用したいという考えを表明しました。これは完全な間違いです。今回の給付金の意味をわかっていません。

湯崎知事は、「県職員は今回の状況の中でも経済的にはほとんど影響を受けていない。だから、彼らのもらう給付金は広島県の困っている人たちのために、また広島県のために使うべきだ」という考えをお持ちなのでしょう。たしかに、その思いは理解できますが、これは法的に問題があります。ある意味で知事によるパワハラです。本当は、「県内の困っている人たちのための基金《ききん》としたいので、県職員は自主的に協力してほしい」と言うべきだったでしょう。

埼玉県和光《わこう》市の松本《まつもと》武洋《たけひろ》市長は、「10万円、私は申請して、全部地域で消費させていただきます。申請しないと国庫に溶《と》けてしまうだけ。本来、和光市には来ないお金なので、全額きっちり市内で使います。時節柄、飲食店のテイクアウトかなあ」とツイートしました。

この発言は、ネットの中で一定の評価を受けているようです。しかし、私は市長たるものが語るべきでない浅《あさ》はかなことばだと考えます。自分の市のことしか考えず、しかも結局は自分のために使うのですから。

今回の感染拡大の中でも、収入などに影響が少ないゆとりのある国民の方々に私からお願いがあります。

ぜひ、受け取った給付金10万円の一部でいいですから、いまからでも、それを近くの子ども食堂や児童養護《ようご》施設などに寄付《きふ》していただきたい。もし、近くに寄付先がない場合は社会福祉協議会に寄付していただきたい。その善意のお金によって多くの子どもたちに笑顔が戻ります。

追記

今回の給付金について、私は腑《ふ》に落ちないことがあります。それは、国がこの10万円を所得税の課税対象としなかったことです。

もし、課税対象とすれば、今回の新型コロナウイルス感染拡大の中でも収入が減ることのなかった世帯や個人、また富裕層《ふゆうそう》からは、その一部を税金として回収することができました。そして、収入に大きな影響を受けた世帯や個人は、その税金を納めることなく、国民に対して所得による平等な助成となったはずです。なぜ、国はそうしなかったのでしょうか。

このことをきちんと政府に問い糺《ただ》した報道機関はありません。ほとんど報道もされていません。それは、なぜなのでしょうか？

もう1つ、つけ加えます。

この10万円の給付金は、国が私たち国民にプレゼントしてくれたものではありません。こんなに困難な状況ではないときに、私たちが税金として国に支払ったものを少し返してくれただけです。もともと私たちが支払ったお金です。それを絶対に忘れないでください。

それを声高に「自分たちが国民のために用意した」と語る政治家がいたら、その人は無知で危ない人です。

嘘はやめよう

私はいま、２つの大学で教えています。

今回、新型コロナウイルスの感染が拡大する中、２校ともリモートで前期の授業を行うこととなりました。各大学からはインターネットを使った授業のやり方や課題学習についてさまざまなサポートを受け、５月からリモート授業を始めています。しかし、ネット環境や機材の問題で参加できない学生が半数を占めています。それでもひたすら授業を発信していました。今日までは……。

でも、そんな自分に嫌《いや》気《け》がさしました。これが授業なのか。

学生と話し合い、その質問の中で次の学問に対する意識や知識を身につけさせる。この基本的なやりとりができません。学生たちの顔を見ることなく、直接、彼らの声を聞くこともなく評価をし、彼らの明日を決める。こんなことができるわけがありません。

いま、ほとんどの大学が国の指導の下、このようなかたちで前期の授業を行うようになっています。でも、これは授業なのでしょうか。学生たちの一生を決める授業と、その評価になるのでしょうか。

たしかに高学年の学生のゼミ形式の授業なら、それもできるかもしれません。しかし、私のように何百人の生徒を抱《かか》える授業では、それは不可能です。このことをすべての大学関係者や大学の教員はわかっているはずです。

いい加減な授業を行い、いい加減に評価し、学生たちの未来をつくる。こんなことが許されるはずもありません。大学に通わず、インターネットやメールで授業に参加でき、学ぶことができる。それがあたりまえなら、校舎や教室は必要なくなります。学問は、そんなものではないはずです。

すべての大学と、心ある教員にお願いです。

完全にすべての学生に対する責任を持つことができないならば、リモート授業はやめましょう。そして、この新型コロナウイルスの感染拡大が一段落したら、きちんと授業をしましょう。当然、学生たちがそのために受ける金銭的な問題については、大学・政府がきちんと解決するように動きながら……。授業料はこれから2年間無料。生活費についても補助《ほじょ》。いろいろなことができます。

教育者には、責任があります。ろくに授業もせず、いい加減に評価する。そして、その学生たちの明日をつぶす。許されることではありません。少なくとも、この前期授業に関して、できないことはできないと声をあげ、その対策を大学と政府に求めましょう。それが教員の良心です。

最後に、もうひと言。

都知事や政府関係者がリモートワークということばを乱用しています。どういう意味なのでしょうか。教育で、それが可能なのでしょうか。人と人とが直接、触れ合う中での教育が必要ないなら、人はいらない。危険なことばであり、発想です。マスコミでも、この問題が解決した後に新しい体制ができると語る人たちがいます。リモートワーク。会社に行かなくても、学校に行かなくても、きちんと仕事ができる。何かワクワクすることばですが、裏を返せば人がいらない。それだけのことです。

学校も仮想空間《かそうくうかん》で十分ということになるのでしょうか。哀しいことです。

追記

この私の原稿については、すさまじい数の反論が届きました。その多くは、学生たちが失う「知識」より「時」が大切なものだとの考え方でした。つまり、知識的に不十分な教育しか手にすることができなかったとしても、その知識は、また手に入れることのできるものである。それに対して、留年《りゅうねん》と同じように時を失い、社会的自立を遅《おく》らせてしまうことは、学生たちの今後の人生を考えた場合、不利益のほうが多いという考え方でした。私も、納得できます。

たしかに、現代の日本の大学に入学してくる学生のほとんどは、研究が目的ではなく、大学を卒業したというキャリアを求めています。その学生たちにとって大切なのは、もしかしたら多くの深い知識を身につけることではなく、４年で卒業して資格を手に入れることかもしれません。彼らにとってはリモートであれ、レポートであれ、質は落ちても、ともかく単位を手にすることに意味があるのかもしれません。でも、本当に学問を修《おさ》めようとしている学生にとってはどうでしょう。どちらが大学にとって大切な学生なのでしょう。多額のお金を入学金や授業料として支払った学生に対し、中途半端な授業しかしない大学。ここに、モラルはあるのでしょうか。

専門学校を例にとれば、このことはもっと明らかになります。

私の友人の息子は調理技術を身につけて調理師となるために、２０２０年４月、調理師専門学校に入学しました。

しかし、前期は学校での直接の授業はすべて中止となり、実習もリモート。インターネットの画像を通しての授業でした。後期から一部の授業は始まりましたが、前期の授業の補完《ほかん》はされないそうです。多くの生徒たちが「前期にリモートでしか受けていない実習授業を、補習というかたちで実際に授業してほしい」と学校に要望したそうですが、拒否されたそうです。

調理実習をリモートで完全に教えることはできるのでしょうか。それができるなら、調理師学校など必要ないのではないでしょうか。

彼は、真剣に退学を考えています。

すべての専門学校と大学へのお願いです

ほとんどすべての専門学校や大学が直接の授業を行うことなく、メールによる課題授業やＺＯＯＭ《ズーム》などを利用したリモート授業で前期の教育期間を終えました。また一部の大学では、後期も実習や実験など少人数で実施する教科以外はリモート授業を決定しています。

私も前期、２つの大学でリモート授業を行いました。テキストや論文を提示し、そのレポートを添削《てんさく》して授業を行う。また一部の科目では、ＺＯＯＭやＹｏｕＴｕｂｅ《ユーチューブ》も利用しました。授業が再開してから必死で対応してきましたが、残念ながら教員としてはまったく納得できる内容ではありません。

私は、すべての専門学校や大学の教員たちに聞きたい。

「本当に、学生たちが支払ったお金に対して恥《は》じることのない教育ができましたか？」と。

学生たちの中には、この期間に休学の道を選んだ子もいます。「中途半端な授業を受けるくらいなら休学して来年きちんと学びたい」という気持ちも痛《いた》いほど理解できます。私は、このようなケースで休学する場合、今年度の授業料を返還《へんかん》するよういくつかの大学に求めましたが、いまのところ、どの大学からも返事はありません。

専門学校の場合はさらに深刻です。調理や服飾《ふくしょく》など実習が中心の専門学校では、多くの学生たちが苦しんでいます。休学もできず、きちんとした学びを得ることができず、日々を過ごし悩んでいます。

私から各専門学校・大学にお願いです。

このような状況下で休学した学生の授業料をすべて返還していただきたい。また、きちんとした教育ができていない以上、そのほかの学生の授業料についても全額返還。それが無理ならば、半額でも返還してほしい。また、２０２０年度に単位を取得した授業について、来年度以降、再度学ぶことができるようにしてほしい。それが、各教育機関の良心だと考えます。

政府にもお願いです。

そのために各専門学校や大学が必要とする資金を政府に助成してもらいたい。このような状況下で、すべてを各学校の負担とすれば、多くの学校が潰《つぶ》れてしまいます。これ以外にも、各大学での教育実習や看護実習など、これから実施できるのか。不透明な授業もたくさんあります。これについて文部科学省は何も語っていません。早急に対策を明確化してほしいと考えます。これ以上、学生たちを苦しめてはいけないのです。

学校教育の本当の目的

新型コロナウイルス感染拡大による自粛要請が次々と解除され、日常が戻りつつあります。それに伴《ともな》い、全国の大学を除く、小・中・高校も完全ではありませんが授業を再開しました。こうした中で気になることがあります。

それは、現場の声を聞いても、各教育委員会や文部科学省の動向を見ても、3月から授業が実施できていないという非常事態の中で、教えることのできなかった教育内容・知識を、年度末までの残された日数でいかに教えていくかということだけが問題となっていることです。すでに土曜授業や夏期休業期間などを短縮して、授業を実施していくという方針を出したところもあります。

私はこの動きを見て、教育現場をはじめ、教育委員会や文部科学省が学校教育の本当の目的を見失っていると感じています。

あるエピソードを紹介します。

私には、かつて福岡県の公立中学校で体育の教員として活躍し、現在は参議院議員として活動している下野《しもの》六太《ろくた》さんという友人がいます。彼と初めて会ったとき、私は彼に聞きました。

「下野さん、あなたの専門は何ですか」と。

そのときの彼の答えに、私はハッとしました。

「水谷先生は私の専門が陸上かサッカーか野球かと聞きたいのでしょう？　でも、私の専門は体育です。体育は、特定の競技の技術を教える教科ではありません。子どもたちが一生を元気で健康に生きていくための知識を教え、健全《けんぜん》な身体をつくる教科です」

私は彼に謝り、このとき、学校教育の本当の目的を学び直しました。たしかに学校教育は子どもたちが人生を生きていくうえで役に立つ知識や技術を教えることが目的ですが、それとともに社会の常識や人間関係の形成の仕方、つまり社会性、そして人としての在《あ》り方や生き方、つまり人格を形成し、成長を助けることも重要な目的です。それを彼のことばから再確認しました。

このような状況下で学校現場はいま、３カ月以上授業ができなかったことで遅れてしまった知識の補塡《ほてん》を教育の中心として走り始めています。しかし、これは危険なことです。人生は長い。知識は人生の中でいくらでも取り戻すことができます。しかし、そこで子どもたちが身につけるはずだった社会性や人格形成については、学校が始まったいま、まさにこれから学校で学んでいくことです。

私は、知識主体、つまり授業中心の学校運営の中で、そのゆとりのなさから大切なことが失われてしまうことを危惧《きぐ》しています。修学旅行や文化祭、体育祭など、子どもたちにとってとても大切な行事が中止されています。

教育関係者には再度、学校教育の本当の目的を考えてほしいと熱望《ねつぼう》します。

追記

この原稿は2020年6月に寄稿したものですが、これに関してはほぼ、

私の杞憂《きゆう》に終わったようです。たしかに夏休みは相当短縮されましたが、運動会や修学旅行など、子どもたちが楽しみにしていたさまざまな学校行事は、それぞれの学校が知恵を振りしぼり、いろいろなかたちで実施しています。授業内容の補塡についても、順調に進んでいると聞いています。

今朝も、私はわが家の前を足早に学校へと向かっていく小・中学生に声をかけました。

元気にあいさつしてくれる子どもたち。楽しそうに友だちと話しながら歩いて行く姿。安心しました。ただし、みんなマスクをつけていましたが……。

ドラッグ汚染の急速な拡大

コロナ禍《か》で、ドラッグ、とくに覚せい剤を乱用している10代後半から20代の若者たちからの相談が急激に増えています。

実は薬物汚染《おせん》の拡がりは、社会の混乱と比例しています。社会が安定していれば、その拡大は抑えられますが、混乱すれば、急速に拡がっていきます。

１９９０年代半ばから現在に至る「第３次覚せい剤乱用期」の始まりは、１９９１年でした。その後、オウム真理教事件で社会が混乱し、全国の警察がその対策に動き、薬物に対する取り締まりができなくなった間隙《かんげき》を縫《ぬ》って、「暴力団対策法」によって急速に資金源を失った暴力団が、資金集めのために外国人の売人を使い、町で若者たちに「スピード」「S《エス》」「痩《や》せ薬」などの名称で、覚せい剤を密売していったのです。

また、2011年の東日本大震災のときには、ライフラインの復旧や支援物資の配布などよりはるかに早く、東北各地、とくに福島県で覚せい剤の密売が始まり、いまに至る大量の乱用者を生み出してしまいました。

今回、新型コロナウイルスによる社会活動の制限を受け、覚せい剤などのドラッグの乱用が急速に拡がってきています。学校の休校や会社の雇《やと》い止め、アルバイト切りによって家に閉じこもらざるを得ない若者たちが、興味本位《きょうみほんい》で覚せい剤などのドラッグをインターネットで購入し、その乱用を始めています。

みなさんは暴力団の資金源をご存じですか。暴力団の主な資金源は、かつては総会屋などの企業暴力、地上げ、交通事故示談介入《じだんかいにゅう》や風俗店、飲食店などへのみかじめ料などの民事介入暴力、そして闇賭博《やみとばく》が中心でした。しかし、「暴力団対策法」などの法規制により、そのほとんどが厳しい取り締まりを受けた結果、いまは「オレオレ詐欺《さぎ》」などの高齢者を狙《ねら》った詐欺や売春《ばいしゅん》、ドラッグの密売が大きな資金源となっています。

ところが、新型コロナウイルスの感染が拡大し、「オレオレ詐欺」や売春が急激に減りました。その穴埋めとして暴力団はいま、ドラッグの密売を資金源としています。そして10代、20代の若いドラッグ乱用者を売人《ばいにん》に仕立て、仲間や周辺の若者たちへの密売を繰り広げています。

なかなか外出できない中、若者たちはインターネットで情報を集め、大麻や覚せい剤を手に入れて乱用し、その結果、幻覚《げんかく》や幻聴《げんちょう》、被害妄想《ひがいもうそう》などで苦しみ、私に相談してくる。こんなケースが増えています。

これは、金額的にも把握《はあく》できます。覚せい剤の密売価格は、２０２０年2月末には1グラム2万～3万円でしたが、いまや3万～5万円へと上昇しています（地域によって差があります）。覚せい剤の常習者が在宅し続けることとなったため、使用頻度《ひんど》や使用量が増えたことも一因ですが、やはり、その背景には乱用者数が増えたことがあります。

最近、私に相談してくる若者たちには2つの傾向があります。

1つは、家に閉じこもり続ける中で、興味本位に覚せい剤を手に入れて使用。一度だけのつもりが依存症となってやめることができず、助けを求めてくるケースです。

もう1つは、それまでも覚せい剤の使用はしていたけれど、学校や会社に行っていたため、その使用頻度は週に1度程度で、本人としてはバランスをとれていたのが、今回の事態でそのバランスが狂《くる》い、使用頻度が増し、精神的・肉体的な異常の中で救いを求めてくる。あるいは、アルバイトなどの仕事がないためにお金がなくなり、覚せい剤を手に入れることができず、その依存性による苦しみから助けを求めてくるケースです。

　このところ、私は、それらの相談に必死で対応しています。

「若者たちのドラッグ乱用は感染症」——私たち専門家は、こう考えています。若者たちは集団で行動します。その１人があるドラッグを乱用し始めれば、数週間でその仲間たちのほとんどが乱用するようになるという意味です。

　東海地方のある町では、１人の高校生がインターネットで大麻を手に入れて乱用し、彼が今度は売人として同じ高校の仲間数人に乱用を拡げました。まさにいま、その高校生たちの問題の解決に取り組んでいます。

　ドラッグを乱用することは、いとも簡単です。でも、それをやめ、それから逃げることは極《きわ》めて難しいのです。ドラッグ乱用者の行き着く先は、「１：３：３：３」と言われています。つまり１割は命を失い、３割は刑務所か精神病院に、３割は行方不明（死ぬまで使い続け）、なんとか３割が私たち専門家や自助グループ、医療機関の助けを受け、回復へと向かっていくという意味です。

ぜひ、10代後半から20代前半の子どもを持つ方々は、自分の子どもたちの様子に注意してください。

部屋でお香《こう》を焚《た》くような様子が見られれば、それは多くの場合、大麻の使用によるにおいを消すためですし、もし部屋の中に水のペットボトルがたくさん散《ち》らかっていたら、それは覚せい剤の離《り》脱《だつ》期《き》に起こる渇水《かっすい》の可能性がある。もし、見つけた場合は、自助グループや専門機関に相談してください。子どもたちの命を守るために……。

第3章

大切な子どもたちを守れ！

壊れゆく日本

私たちの国・日本ではいま、子どもたちが壊《こわ》され続けている。そして、最悪の状況へと進んでいる。私はそう考えています。

現在、暴走族で暴《あば》れ回る若者たちはほとんどいません。また、中学や高校で校内暴力をふるう子どもたちもいなくなっています。これは、いまの若者たちや子どもたちは、以前のように暴れ回るエネルギーやその気力さえもなくしてしまったからではないでしょうか。

その一方で明日を見失い、うつろな目で日々を過ごす子どもたち、心を病《や》み、自らを傷つけ、死へと向かう子どもたちが増えています。

正確な数字は調査されていませんが、いま、日本では推定で２００万人を超《こ》える人たちが不登校やひきこもりで苦しんでいます。また、１２０万人が鬱《うつ》病《びょう》に苦しみ、４２０万人が心を病み、心療内科や神経科、精神科で治療を受けています。これに非行や犯罪や薬物乱用に走る人たちを足し、その予備軍を入れれば、国民の３割近くがなんらかの問題を抱《かか》えていることになります。子どもたちはもとより、多くの大人たちも壊されています。

こんな国に明日はあるのでしょうか。

現在、政府は「日本は不況から脱した」と宣言していますが、本当にそうでしょうか。たしかに、ＩＴ関連の企業で何千億円ものお金を手にする人も増えていますし、「億ション」と呼ばれる都心の湾岸地域の高層マンションも、建てればすぐに売れる状況です。金持ちが増えたことは実感できます。

一方、生活保護世帯が増え、子どもたちの７人に１人が貧困《ひんこん》に苦しんでいます。経済の繁栄《はんえい》を支えた分厚い中流世帯が崩壊《ほうかい》しています。そして、富は一部の人に集中し、多くの国民が貧困へと追いやられています。

そのような中、私たちの社会全体がゆとりのない、イライラした閉塞的《へいそくてき》な社会へと変貌《へんぼう》している。それが子どもたちの生きる家庭や学校にまで広がってきています。そして、多くの国民が、とくに子どもたちが明日を見失っています。

その解決の答えは子どもたちの中にある。私は、そう考えています。

「子どもたちは社会の鏡」とよく言われます。子どもたちは繊細《せんさい》であり敏感《びんかん》である。だからこそ社会や環境の変化を大人より敏感に感じ取り、それにすぐに反応します。子どもたちの状況を見れば、その社会の持つ問題、また環境としての学校や家庭が抱える問題が見えてきます。子どもたちが、いまを幸せと感じ、明日を夢見ることのできる社会をつくることが、私たちに求められていると考えています。

そのために子どもたちを変えるのなら、まずは私たち大人が変わらなくてはならないのです。このことを多くの大人たちは忘れています。

親である大人たちに聞きたい。あなたの家庭は笑顔であふれていますか。

教員に聞きたい。あなたの学校で、子どもたちは明るく輝いていますか。

また、すべての政治家や官僚《かんりょう》にも考えてほしい。犯罪が起きたり、青少年問題が多発する背景には、この国や社会の在《あ》り方に根本的な問題があるということを……。結果に翻弄《ほんろう》され、対処するだけでなく、その原因を取り除《のぞ》く努力をしてほしい。

すべての国民が、とくに子どもたちが、明日を夢見て、そして自分なりの幸せを実現できる可能性がある社会をつくってほしい。そうすれば、ほとんどの問題は解決する。

私は、そう確信しています。

追記

私はいま、この原稿を書いたころを懐かしく感じています。これは新型コロナウイルスの感染拡大が始まる前に書いたものです。いまや、国による自粛《じしゅく》要請《ようせい》の最中、飲食店はもとより、観光業、宿泊業、交通関係企業などが大きな打撃《だげき》を受けています。

日本、いや世界はリーマンショック以上の大不況に苦しんでいます。一般企業の労働者のみならず、公務員の給料まで減り、政府による必死の経済対策や助成によってさえ、まだ明るい兆《きざ》しは見えていません。この状況は新型コロナウイルスのワクチンが完全に市中に出回るまでは解決しないでしょう。

しかし、このような状況でも政府の支援による「Ｇｏ Ｔｏ キャンペーン」を利用して各地を旅する人やおいしい食事を楽しむ人たちはたくさんいます。

また、こんな状況でも政府は1千億円を超えるお金を使ってオリンピック・パラリンピックを開催しようとしています。それが正しいのかどうかは、私ではなく歴史が判断すべきことでしょう。

でも、忘れてはいけないことがあります。この状況の中で苦しんでいる人たちのことです。苦しんでいる子どもたちのことです。私のもとには、そのような子どもたち、そうした人たちからの相談が絶《た》え間なく続いています。

為《い》政《せい》者《しゃ》たちに忘れないでほしいことがあります。

国家があって国民があるのではなく、国民があって、はじめて国家があるということを。

企業のトップの人たちにも、忘れないでほしいことがあります。

企業があって労働者があるのではなく、労働者があって、かつ消費者があって、はじめて企業があるということを。

国家のなすべきことは、国民すべての幸せをつくり、守ることであって、企業のなすべきことは、その企業で働く労働者すべての幸せをつくり、守ることであると。

また、すべての大人たちに忘れないでほしいことがあります。私たち大人がどんな困難な状況でも必ずしなくてはならないことは、私たちの明日を担《にな》うすべての子どもたちの幸せをつくり、守ることだと……。

国と国との諍《いさか》いに人を巻き込んではいけない

２０１９年５月、私は韓国に行ってきました。韓国でも多くの若者たちに読まれている私の著書『夜回り先生』を原作とした映画「The Fault is not yours（昨日のことは全《すべ》て大丈夫）」が、全州《チョンジュ》国際映画祭で上映されたためです。

この映画の監督は、私の大切な友人であるイ・ソン・ハン氏。彼は、最愛の娘さんを中学校でのいじめによって亡《な》くしています。その娘さんが最後に読んでいた本が『夜回り先生』でした。彼の娘さんに対する思いと哀しみ、悪化している日韓関係が、映画という文化交流を通して、少しでも改善されればと、映画化を許可しました。すばらしい映画でした。原作に忠実に、日本の子どもたちと同様に韓国で哀しみ、苦しんでいる子どもたちの姿を描いてくれました。日本人が原作の映画にもかかわらず、チケットはすべて完売。たくさんの韓国の若者たちが来てくれました。そして、会場全体が涙に包《つつ》まれました。

上映後、舞台挨拶《あいさつ》に立った私に、たくさんの韓国の若者たちが質問してくれました。その多くは「日本でも韓国の若者たちと同様に、いじめや虐待《ぎゃくたい》で苦しんでいる子どもたちが存在するのか」という質問でした。私は、日本も韓国もまったく同じ状況だと話しました。

このところ、ずっと日韓関係が戦後最悪の状況を迎えています。「慰安婦《いあんふ》問題」や「徴用工《ちょうようこう》問題」で、最初に日韓関係に亀裂《きれつ》をつくったのは間違いなく韓国政府です。日本政府は、これに対して面と向かって受けて立ち、ある意味で報復《ほうふく》と取られかねない対応へと動いています。そして、それが国と国との諍《いさか》いの領域を超えて、両国の国民の対立のレベルにまで持ち込まれてきています。

私は、国と国との外交問題に国民を巻き込むことはあってはならないと考えています。外交問題は本来、淡々《たんたん》と両国の話し合いの場や国際機関で解決され

韓国で公開された映画「The Fault is not yours」のパンフレット

るべきものです。しかし、現在は日韓両国のさまざまな国際交流が停止され、とくに韓国においては観光の制限、日本製品の不買《ふばい》運動など、市民レベルにまで大きな影響を与えています。本来、このようなときにこそ両国の国民が民間レベルで文化交流やスポーツ交流、観光などを通して理解し合うことが問題解決の助けになるにもかかわらず。

先日、私は韓国の友人に電話し、彼のことばに感動しました。

「親同士の仲が悪いからといって、子ども同士も仲が悪くなる必要はないでしょう。韓国でも多くの国民は今回の事態を冷静に捉《とら》えています。先生の映画の公開を楽しみにしています。きっと、日韓関係の修復《しゅうふく》に役立ちます」

最後に、日韓関係の悪化は日韓両国にとって、また両国民にとって何のプラスにもならない問題です。この問題で得をするのはだれなのでしょう。どの国なのでしょう。韓国でも日本でもないはずです。私たちも冷静になりましょう。

追記

今回の日韓関係の悪化の原因は、一にも二にも韓国にあります。これは、韓国の私の友人たちも一様に認めています。現在の韓国・文在寅《ムンジェイン》政権の外交政策は、私の目から見ても稚拙《ちせつ》なものです。いま、韓国が一番恐《おそ》れるべきことは、北朝鮮、すなわち朝鮮民主主義人民共和国が38度線を越えて戦争を仕掛けてくることです。もし、戦争となれば数百万人、いやそれ以上の命が失われ、また工業地帯は破壊され、最終的にはアメリカなどの力を借りて、戦争に勝利したとしても、その復興には多くの年月が必要となります。

だからこそ南北融和《ゆうわ》を中心外交として進めている意図《いと》は理解できます。しかし、北朝鮮は文在寅政権の宥和《ゆうわ》政策にきちんと誠意をもって対応してきたのでしょうか。私には、そうは見えません。いまは、むしろ日本やアメリカとの関係を強化し、一体となって核兵器の放棄《ほうき》や日本・韓国の拉致被害者救出にあたるべきでしょう。

文在寅政権には、もう1つ考えてほしいことがあります。

日本、アメリカ、韓国の同盟が崩《くず》れて得をする国はどこか。それは中国でしょう。でも、朝鮮戦争以後、中国は何をしてくれましたか？　日本やアメリカが復興のためにどれだけ援助をしたでしょうか？

日本の政権、とくに安倍前政権にも責任はあります。韓国の売ってきた喧嘩《けんか》をもろに受けてしまった。この対応は外交的には失格です。もっとゆとりがほしかったと私は考えます。

いずれにしても、国と国との諍いに私たち国民は巻き込まれてはいけないし、巻き込まれる必要もありません。

いじめ防止対策推進法の改正について

現在、超党派の国会議員が、いじめを放置・助長した教職員を懲戒処分《ちょうかいしょぶん》する規定を「いじめ防止法」に盛り込もうとしています。私は、いじめをなくすためには、このことより先に論じられなければならないことがあると考えています。それは、現在の文部科学省のいじめの定義です。

学校において、ある児童・生徒がほかの児童・生徒に対して暴力をふるう。金品を要求する。「死ね」とか「学校に来るな」と脅《おど》す。文部科学省は、これをいじめとしています。しかし、これらは立派な人権侵害にあたります。

実は、いじめという行為が他者の幸福権を奪《うば》う重大な人権侵害であるということをきちんと捉《とら》えている人がいません。法務省は、その人権侵害の規定の中に、虐待《ぎやくたい》などと共にいじめをきちんと入れています。しかし、この国の多くの教育専門家や学校関係者は、とくに文部科学省は、それをきちんと理解していません。

また、別の側面から見てみましょう。

いま、私が町に出て、だれかに対して「暴力をふるう」「金品を要求する」「脅す」といった行為をしたらどうなるのでしょう。

明らかです。警察に逮捕され、そして犯罪者として裁《さば》かれることとなります。でも、学校内でならば、一定の人間関係があれば、犯罪にはならず、いじめになるのでしょうか。これらのことは、いじめではなく犯罪です。

文部科学省は学校内における人権侵害や犯罪をいじめとして扱《あつか》い、それを学校内の問題として教育の中で解決させようとしている。私は、ここにいじめが根絶《こんぜつ》できない最大の理由があると考えています。

私は学校におけるいじめについて、「学校において、意図的に、ある児童・生徒に対して精神的苦痛を与えること」と定義しています。具体的には、無視や悪口、陰口などです。

これらの行為には倫理的・道徳的な問題は存在しますが、ほとんどの場合、法的な問題は存在しません。法律は人を嫌うことを禁止していませんし、人の悪口を言うことも、よほどその人の名誉にかかわるような嘘《うそ》を言うことでなければ禁じていません。この種のいじめは、たしかにどんな学校にも存在します。しかし、これは学校だけではなく一般社会の中でも普通に存在しています。

私は、この種のいじめは「いじめ」などという陰湿《いんしつ》なことばではなく、「不健全な人間関係」と呼ぶべきものだと考えています。これらの行為こそ、本来、学校がその教育を通じて防止し、対処しなくてはならないものです。倫理的・

道徳的問題なのですから。

私は、この定義以外で文部科学省がいじめとして扱っている事案については、学校現場で抱《かか》え込まずに警察や家庭裁判所、法務省の人権擁護局の手を借りる。こうすれば、多くのいじめは消滅できると考えています。

文部科学省と国会議員の方々にはぜひ、ご一考いただきたい。

追記

現在、いじめについて当然のように「いじめた子どもは加害者である」と考えられています。たしかに、いじめという行為については、いじめた子どもは謝《あやま》らなくてはならないし、償《つぐな》わなくてはなりません。また、その内容や行為が法に触れるものであった場合は、然《しか》るべき裁きを受けなくてはなりません。

しかし、忘れないでほしいことがあります。それは、「なぜ、その加害者の子どもがいじめという行為をしたのか」という理由や背景です。

家庭や学校で認められ、幸せで充実した毎日を送っている子どもはまず、いじめなどしません。いじめをした子どもたちの家庭環境や学校での処遇《しょぐう》の中には、必ず何らかの原因があります。それを突き止めず、ただ、いじめを加害・被害、児童・生徒間の問題として対処することは卑怯《ひきょう》です。

家庭や学校のそれまでの在り方の中に原因を探し、それを解決していかないかぎり、いじめはなくなりません。いじめている子も、実は家庭での虐待やネグレクト、学校での問題を抱えているかもしれません。そこまでをきちんと明らかにしていかないかぎり、いじめはなくなりません。

どこまでも、生きぬいて

日本における自殺者数は２００３年の３万４４２７人をピークに、それ以降減少を続け、２０１７年には2万１３２１人まで減りました。これは、国や自治体がこの問題に熱心に取り組んだ成果だと評価できます。

しかし、青少年の自殺者数に注目すると、多少の減少傾向は見られたものの、ほかの世代の減少と比べるとわずかでした。しかも、２０２０年からは新型コロナウイルス感染拡大の中で、リモート授業による孤立化や飲食店の不況によってアルバイトなどの仕事と収入を失い、10代、20代の若者たちの自殺者が目に見えて増加しています。私の研究所にも、追い込まれた若者たちからの死を語る相談が急激に増えています。

実は、青少年の自殺者がほかの時期と比べて急増する時期が1年に3回あります。そして、それぞれに固有の特徴があります。

まず、私たち青少年の相談にかかわっている人間が一番緊張《きんちょう》するのは、8月の第3週から9月の第4週までの1カ月間、とくに8月31日です。私のもとに死を語る相談が最も増えるのもこの時期です。新しい学校や新しいクラスで1学期に良好な人間関係を形成することができずに孤立《こりつ》した青少年や、いじめなどで追い込まれた青少年が、楽しいはずの夏休みに家にこもって心を病《や》み、新学期が始まることによる通学のプレッシャーから死を選択するケースです。

2番目に自殺者が多いのは2月から3月です。この時期は、とくに中学3年生、高校3年生の自殺者が増えます。入学試験に失敗し、それにより追い込まれ、死を選択するケースです。

そして3番目に自殺者が多いのは5月の連休、ゴールデンウィークです。この時期に自殺する青少年には特徴があります。とくに大学1年生、そして地方出身の学生の自殺が多いのです。夢を持って都会の大学に入学し、アパートや寮での一人暮らしを始めた若者たちが、4月に友人をつくることができず孤立し、しかも慣《な》れない都会の生活の中で追い込まれ、命を絶っていきます。

これは、すでにほとんどの大学で大きな問題として捉えられており、なんとか1つの命も失うことのないようにと、4月に地域ごとの学生の交流会を設定したり、大学生によるさまざまなＳＮＳでの交流を進めたりする取り組みがなされています。

今回、新型コロナウイルスの感染が拡大し、まさにこの3番目の状況がほぼ1年間続くことになってしまいました。大学に入学しても一度も（あるいはほとんど）大学に通うことも、同級生と会うこともなく、部屋でただひたすらインターネットを通して授業を受ける。仲間たちとの触れ合いや支え合いもできずに……。こうして多くの若者たちが追い込まれています。そして、その一部が明日を見失い、大学を退学したり、命を絶っています。

これを読んでいる、いま苦しみ悩んでいる若者たちにお願いです。

絶対に死を選ばないでください。つらいときは一度、逃《に》げればいいんです。空を見てください。いまは曇《くも》っていても、その向こうにはいつも太陽と星があります。止《や》まない雨や晴れない曇りはありません。どこまでも生きぬいてください。明るい明日は来ます。

また、若者たちのご両親や、若者とかかわっている人へのお願いです。

ぜひ、彼らには定期的に、何度も連絡してあげてください。うるさいぐらいに……。「君を愛し、心配している人がここにいるのだ」と知らせてあげてください。

追記

私の研究所に届く相談で「死にたい」「死にます」と書いてある場合は、その対応にはそれほど苦労しません。こう書いてくる子どもたちが望んでいることは、ほとんどの場合、自分を知ってもらうこと、自分にかかわってくれることです。

「水谷は、哀しい。生きてください」

そう答えることで、死から遠ざかってくれます。

ただ、「いままでありがとう」と書かれたときは、研究所全体に即座に緊張が走ります。自殺の可能性が高いということで、そのメールアドレスや電話番号と内容を警察に通報し、その子どもの保護に動いてもらいます。月に数回は、このような緊急対応が必要となります。

それでも私は、すでにわかっているだけで２６６の尊《とおと》い命を失いました。取り返しのつかない私のミスです。命を守るためにできたこと、すべきだったこと、私には後悔しかありません。どの命も救うことができた、救わなければならなかった命です。

すべての子どもたちは生まれながらに幸せに日々を過ごし、平等に幸せな明日を求める権利を持っています。しかし、現在の日本では、その権利が十分に守られてはいません。哀しいことです。

夜の暗闇《くらやみ》の中で死を考えるたくさんの子どもたち。そのことに、気づいている大人も、その子どもたちに手を差し伸べる大人も少なすぎます。

人は、人を殺していいのか

人は、人を殺していいのでしょうか。

私は40年間、高校と大学で教えてきました。授業中、すべての生徒たちにこの質問をしました。ほとんどすべての生徒や学生からの答えは1つでした。

「人は、人を殺してはいけない」

みなさんにも聞きます。

「人は、人を殺していいのですか？」

まず、人が人を殺すことを善《よ》しとする人はいないでしょう。しかし、いまも続く世界の戦場《せんじょう》では、あたりまえのように人が人を殺しています。それどころか、多くの人を殺す兵士《へいし》は高く評価されます。この考え方で言えば、「自衛隊を含め、軍隊を所有する国は、その国の財産や国民の命を守るためには人を殺してもいい」と言っていることになるのではないのでしょうか。

検察官や裁判官、そして、私たちもいつかは務めることになるかもしれない裁判員は、悩み苦しみながらも、殺人や重大な犯罪を犯《おか》した被告に死刑の判決を下します。ここでも、人が人を殺すことが正当化されています。

もっと厳しいことをいえば、妊娠《にんしん》中絶《ちゅうぜつ》です。日本では妊娠21週6日までの妊娠中絶手術は法的に認められています。妊娠して体内に宿《やど》った命は、人ではないのでしょうか。生命ではないのでしょうか。

この現実を見れば、こう言うべきでしょう。

「人は、その状況によっては、人を殺してもいい」

本当にそうでしょうか。

現在、世界では死刑を廃止《はいし》する国が増えてきています。しかし、日本ではこのところ毎年のように死刑執行《しっこう》が続いています。２０１８年には15名（その内、オウム真理教事件関係者の一斉執行が13名）、２０１９年には３名です。また、１００名以上の死刑囚がその執行を待っています。さらに、こうした中でも裁判では死刑宣告が続いています。

「人を残虐《ざんぎゃく》に殺した人は、死を持って償《つぐな》わなくてはならない」

――まさに「目には目を、歯には歯を」「やられたら、やり返せ！」と、いまから約３８００年前に、当時のバビロニア王ハンムラビが制定した「ハンムラビ法典」がいまなお、影響を与えています。「復讐法《ふくしゅうほう》」といえばいいのでしょうか。罪を犯した人間には、それと同等の償いをさせる。お金を盗《ぬす》んだ人には、そのお金を返させる。人を傷つけた人には、それと同等の傷をつけるか、それが治癒《ちゆ》するまでの期間、身柄を拘束《こうそく》する。または、それに見合うお金を支払わせる。このようなかたちで「復讐法」を見ていけば、それは優れたものだし、いまも日本のみならず、世界の民事訴訟や一部の刑事訴訟では、あたりまえのことです。

この根底にあるのは、「罪は償わなくてはならないし、国は罪を必ず償わせる」という思想です。しかし、死刑は罪を償わせるものでしょうか。死は償いになるのでしょうか。

多くの殺人事件の被害者家族は、それを求めるかもしれません。でも、本

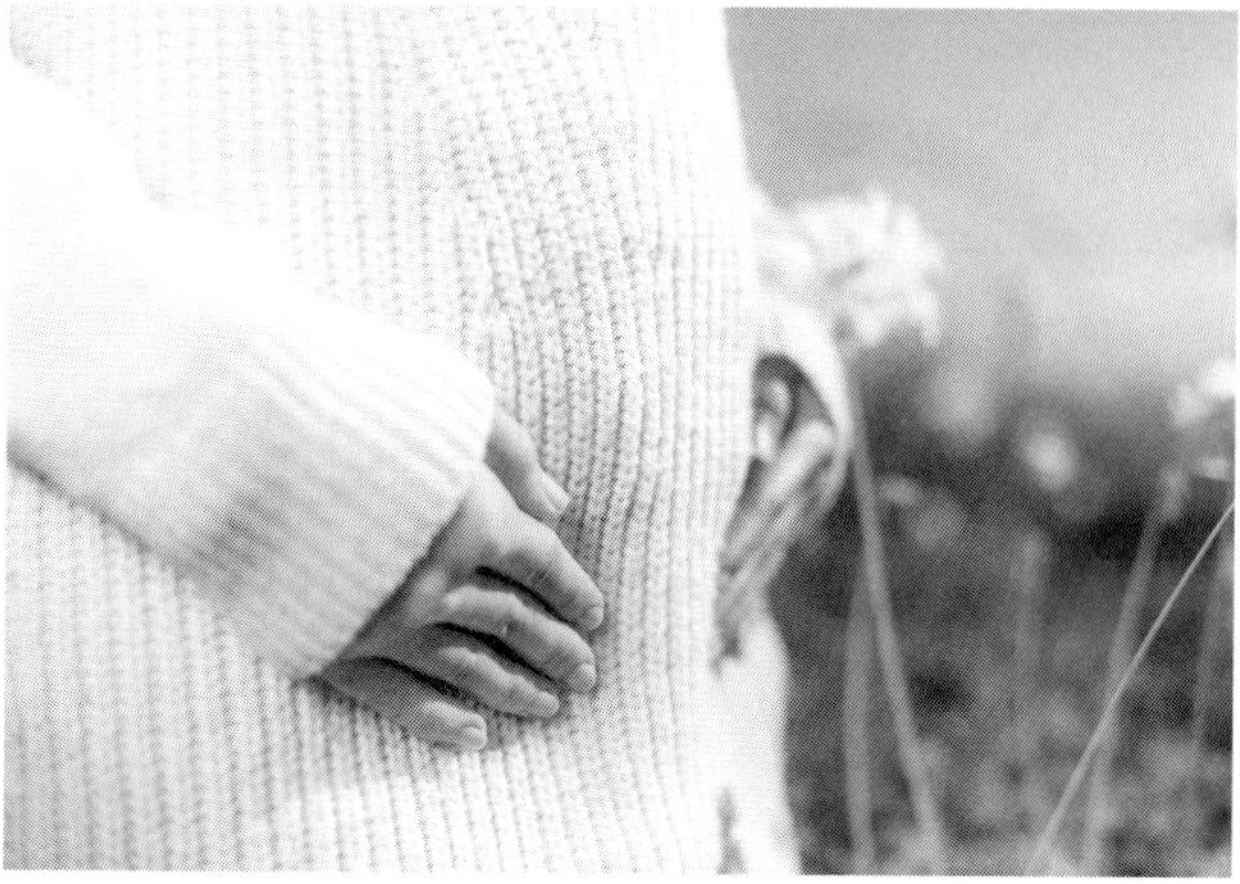

当の償いとは死ではなく、生き続けて自分の犯した罪をきちんと反省し、それを獄中《ごくちゅう》で償い続けることではないでしょうか。一瞬の死より、はるかに重い刑ではないでしょうか。

たとえば、オウム真理教事件では首謀者を含む13人の死刑囚が一斉に死刑を執行されました。その結果、一部の死刑囚が自分たちの犯した犯罪について、その原因や過程、そして、事件後の反省や償いを語り続けていたことが途《と》絶《だ》えてしまいました。彼らの1人は、死刑執行が迫《せま》った最後の手紙で私の友人に、こう書いていました。

「死刑は、死ぬことは楽です。私はたくさんの人を傷つけ、その命を奪《うば》いました。そのことに日々、苦しんできた。その苦しみが一瞬で終わります」

人は、人を殺してはいけない——。日々、あたりまえに学校や家庭、社会全体で語られることが、実は私たちの国や社会、世界ではまったく違うかたちになっています。国も、みなさんも、口ではそう語りながら、実は人が人を殺すことを認めているのではないですか。

報道では、その矛盾《むじゅん》についてほとんど語りません。これが現状です。

「真実を語るならば、人は、人を殺してもいい」

そう語るべきなのではないでしょうか。

「この国を守るために愛する人が殺されたら、その復讐《ふくしゅう》のために、人は、人を殺してもいい」

子どもたちに、こう語ることができますか？

私には、できません。

「人は、人を殺してはいけない」

私は、そう語り続けることしかできません。

安楽死について

海外で「重度の障がいを持って生まれた子どもの安楽死《あんらくし》を両親が病院に要請した」というニュースが報道されました。私は、この両親の判断は間違いだと、いや、それどころが殺人に値《あたい》する犯罪だと考えます。

出生した子どもは、その子ども自身が私たちと同様に生きる権利と幸せになる権利をすでに持っています。また、その生き方についても自分自身で決定する権利を持っています。それは障がいを持っている、持っていないにかかわらずです。

ただ、子どもの場合、その権利の主張や生き方の選択は、まだ自分自身ではできないために、それを親が守ることとなっています。その子どもを守るべき親が、障がいがあるという理由で、その命を奪うことは許されることではないはずです。

もし、これを認めてしまえば、２０１６年に神奈川県で起きた「相模原障がい者施設殺傷《さっしょう》事件」において、事件後に加害者が報道機関に語った「重度の障がい者を生かすために莫大《ばくだい》な費用がかかっている。重度の障がい者は安楽死すべきだ。事件を起こしたのは不幸を減らすため。殺害した自分は救世主《きゅうせいしゅ》だ。犯行は日本のためだ」というあまりにひどい言い分も、一考しなくてはならなくなります。これに賛成する人は、いまの日本ではまず、いないと信じています。

しかし、その一方で日本ではこれと同様のことが、日々行われています。出生前検診です。この検診により「障がい者が生まれる可能性が高い」との診断を受けた多くのケースで、妊娠中絶が行われているという事実があります。私は、これも許すことができません。

出生前とはいえ、体内に宿った尊い命を「障がいを持って生まれる可能性が高い」という理由で中絶する。ここに私は、かつてのドイツにおいて、ヒトラーの指揮下でナチスが行った優生政策《ゆうせいせいさく》と同様の影を見ます。彼らは「特別な教育を与える」と親に言って多くの障がい者を家庭から分離し、ガス室で殺害しました。障がいも1つの個性として、ともに共生できる社会をめざす現代において、これは犯罪といってよいでしょう。でも、いまの日本では、それが合法的に認められています。

たしかに、障がいを持つ子どもを育てるには、たくさんのお金が必要で多くの労苦を伴《ともな》うことも事実です。それを解決するためにも、「子どもは親のものではなく国の宝である」「どんな子どもであれ、国をあげて守り育てていく」

という政策が必要です。とくに障がいを持つ子どもを育てる家庭に対しては諸費用の補助や人的支援などを、さらにきちんと法整備し、各地方自治体と協力して守っていくことが求められています。

また現在、日本を含む多くの国で積極的な安楽死を認めるべきかどうか、合法化すべきか否かが問題となっています。

日本では現行の法律の下、消極的安楽死（積極的治療を停止することにより、結果的に患者を死に至らせること）は認められていますが、積極的安楽死（致死性の薬物の服用や投与により患者を死に至らせること）は、原則として認められていません。２０２０年には、京都で筋萎縮性側索硬化症《きんいしゅくせいそくさくこうかしょう》（ＡＬＳ）の女性の安楽死に２人の医師が直接かかわり、嘱託《しょくたく》殺人容疑で逮捕されています。

しかし、オランダでは消極的安楽死はもとより、積極的安楽死を法的に認めています。ただし、以下の４つの条件がつけられています。

①患者は不治《ふじ》の病《やまい》である。

②耐えがたい苦痛がある。

③患者は死にたいと希望している。

④実施するのは医師で、ほかの医師と相談した。

私は、これに納得できません。たしかに耐えがたい痛みの中で死を訴える患者に対し、見るに見かねて死を幇助《ほうじょ》する。その行為を違法として犯罪として裁くことには違和感《いわかん》を覚えます。しかし、現在の医療水準から見れば当然、何らかの緩和医療《かんわちりょう》は可能なはずですし、精神的な苦悩についても、ターミナルケアなどの精神的援助や投薬といった方法で対処することはできるはずです。

私にとって「安楽死を認める」ということは、「自分自身による積極的安楽死」ともいうべき自殺を認めることと同じです。「自分の命は自分のものだから自分で生死を判断できる。だから自殺してもいい」ということになってしまいます。実際、日本ではたくさんの人たち、とくに若者たちが、いとも簡単に自ら命を絶っています。その後、嘆《なげ》き悲しむ人たちがたくさんいるにもかかわらず……。

　果たして、その人の命はその人だけのものなのでしょうか。私は、そうは思いません。その人を産んだ親、愛する人、大切な友人、すべての人のものだと考えます。その人の死は残された多くの人たちを悲しませ、苦しめる。この理由だけでも、許されることでは

ありません。

もし、どうしても日本で安楽死を認めることになるならば、オランダの4つの条件にもう1つ条件をつけ加えるべきだと、私は考えます。

それは、

⑤患者とかかわりを持つ家族や友人すべての人の同意があること。

だれが考えても、この5つ目の条件を満たすことは不可能です。そうである以上、私は安楽死は認めるべきではないと固《かた》く考えています。

死が、私たちに決定権のある、選択権のある行為となってはいけないのです。生まれてきた以上、人は必ず死にます。でも、それは受け入れるものであって、求めたり、決定したりするものではないのです。

障がい者は、社会のお荷物なのか

「相模原障がい者施設殺傷事件」を起こした植松聖《うえまつさとし》被告に対して、２０２０年3月、横浜地方裁判所は死刑判決を言い渡し、本人が控訴《こうそ》を取り下げたことから、これが確定しました。

この事件は２０１６年７月に起きました。神奈川県の知的障がい者施設「津久井やまゆり園」に元施設職員の男が侵入《しんにゅう》し、入所者19名を刺殺し、入所者および職員26名に重軽傷を負《お》わせました。彼は事件後、警察に出頭して逮捕されました。

この事件については、事の重大性、また異様さから多くの報道がなされました。逮捕後の取り調べの中で彼は「重度・重複《ちょうふく》障がい者を育てることに、国は莫大《ばくだい》なお金と時間を必要とする。犯行は日本のために起こした」「事件を起こしたのは不幸を減らすため」「障がい者を殺害した自分は救世主だ」などと供述《きょうじゅつ》したと報道されています。

彼は殺害を実行するにあたって、寝ていた1人ひとりに声をかけ、返事ができた人については手を下さなかったという報道もありました。とんでもない、許すことのできない考え方です。彼の中には「障がいを持つ人は完全な人間ではなく、社会のお荷物だ」という考えがあるのでしょう。

しかし、この考え方は彼だけの異常な思想なのでしょうか。私は、そうは思えません。視覚障がいを持った人が街を歩くのを邪魔《じゃま》だと感じている人がたくさん存在することを、私は知っています。町で、障がいを持つ人たちを哀《あわ》れむように見ている人が少なくないことを知っています。また、多くの親たちが、自分の子どもが生まれたときに「障がいがなくてよかった」と喜んでいることを知っています。実は、彼のような考え方は多くの人の心の片隅《かたすみ》に存在しているのではないでしょうか。ただ、彼のように実際に口に出したり、行動したりしないだけで……。みなさんはどうですか。

私は20代のとき、横浜で肢体《したい》不自由の子どもたちのための養護学校（現在は特別支援学校）に勤務していました。そこでは軽度の障がいの児童・生徒だけでなく、重度・重複障がいの児童・生徒も学んでいました。授業だけではなく、食事や排泄《はいせつ》の介護、自立支援、就労支援と、日々忙しく働いていました。

高校の教員として明日の日本を担《にな》う生徒たちを育てるのだと熱く考えていた当時の私は、「なぜ、こんなことまでやらされるのか？」と悩んだこともありました。お漏《も》らしを繰り返され、嫌《いや》になったこともありました。でも、そんな私に大切なことを教えてくれたのは、まさに障がいを持つ生徒たちでした。

下肢《かし》が麻痺《まひ》し、上肢《じょうし》にも少し障がいがある女子生徒をボールペンの組み立て工場に就職させてもらいました。就職前の実習では、ほかの熟練《じゅくれん》した社員の人たちが1時間に約２０００本のボールペンを組み立てる中で、彼女は２００本程度しか組み立てることができませんでした。当然、企業に義務化された「障がい者雇用枠《こようわく》」での採用でした。

採用当時、その工場の担当者は、迷惑そうに私に小言を言っていました。しかし、半年後に工場を訪れた私は、担当者から感謝のことばをもらいました。

「自分も、会社も〝こんな障がいを持つ子を雇《やと》っても邪魔だ〟と考えていました。法律で決められているから仕方なく採用したのです。ところが、体が不自由でも、必死にボールペンを組み立てる彼女の様子を見たほかの社員たちが、それを支えよう、守ろうと本気で働いてくれたおかげで、生産量ははるかに伸び、工場全体に優しさと笑顔があふれるようになりました。あなたの教え子は、わが社の宝物です」

私も、学校の仲間たちも、喜びでいっぱいになりました。

また、私の教え子の中でも最も重度・重複障がいの生徒がいました。身体はほとんど動きません。学校ではいつも特別な車椅子で横になっているだけでした。でも、彼にはすばらしい能力がありました。まわりにいる私たち教員が、何か問題があってイライラしたり、ぶつかりそうになると、「ケッケッケッ」と言って笑うのです。私たちは、その声を聞いて反省し、仲直りしました。

100人の人間がいれば、100人の個性があります。優秀と言われる人たちもいるでしょうが、それについて行けない人たちも、また、障がいを持った人たちもいます。どの人も、実はいつも必死で生きています。それぞれの個性を見つけ、育てること、それこそが私たち教員の仕事なのだということを、私は学びました。あの子たちがいなかったら、いまの日本に「夜《よ》回《まわ》り先生」は存在しません。

追記

ここでは、とてもきれいごとを書きました。

当時、私が教えた子どもたちはいま、50代を迎えています。親たちは80代です。いまでも多くの教え子や親たちと交流しています。親たちは自分の人生のすべてをかけて、障がいを持つわが子を守り育ててきました。そうした親たちの中には、わが子の障がいが重く、家族旅行にさえ一度も行くことなく、現在に至っている人もいます。

そして、親たちは老《お》いています。幾人かの教え子は、親の高齢化で施設に入所することとなりました。親の願いは、自分が亡くなった後も施設でいろいろな人や仲間たちとの日々の暮らしを続け、幸せになってほしい。それだけです。それを壊したのが、あの事件でした。

みなさんに聞きたい。

障がい者は、社会のお荷物なのですか？

みなさんの心に聞きたい。

この事件では、私の大切な教え子も殺されました。

８０５０問題は、政治問題

川崎市での無差別殺傷事件（２０１９年5月）、東京・練馬での元農水事務次官による長男殺害事件（２０１９年6月）など、「ひきこもり」をキーワードとする悲惨な事件が続いています。その影響で、私のところにも長年のひきこもり当事者やその家族からの相談が続いています。

「８０５０《ハチマルゴーマル》問題」（45ページ参照）については、このところ、さまざまに報道されていますが、この問題の本質と背景・原因をきちんとわかっている人はほとんどいません。それをここで説明します。

１９９１年秋、日本のバブル経済は崩壊します。その結果、金融機関が続々と破綻《はたん》し、多くの企業が活動を縮小。そして大不況に突入しました。それに伴い、高校生や大学生の就職も大氷河期《だいひょうがき》を迎えることとなりました。

政府は企業の再生を第一として、それまでの終身雇用《しゅうしんこよう》を柱とした雇用契約から、派遣社員や短期契約社員など非正規《ひせいき》雇用の労働者を活用するシステムへと変化していきました。これは企業にとっては労働コストの削減《さくげん》になりましたが、就労する人たちにとっては不安定な雇用環境でした。

このような時代に安定した就職ができず、明日を夢見ることのできなかった世代の中には、20代〜30代の間はアルバイトや一時的な雇用でなんとか生活を維持《いじ》してきた人たちが多くいます。その人たちの多くがいま、40代〜50代を迎え、キャリアがないことや年齢によって就労《しゅうろう》機会を失い、孤立し、そしてひきこもりとなっています。

支える家族がいない人の場合、多くは福祉事務所の力を借りて生活保護からスタートし、就労支援を受けています。しかし、家族がいる場合は、そのほとんどが「家庭の責任で」と放置《ほうち》されてきました。こうした背景の中で、前述の２つの事件は起きました。

もし、バブル崩壊後の日本でも、アメリカのニューディール政策（１９３０年代にルーズベルト大統領が世界恐慌を克服するために行った一連の経済政策）のような労働者保護を最優先とする政策がとられていれば、このような事態を招《まね》くことはなかったと、私は考えています。

「８０５０問題」は、決して「不良品」が起こした個別の特殊な問題ではありません。もし、今回の事件の犯人が「不良品」だったとしても、それは政治の無策《むさく》によって生み出された「不良品」です。生み出さないことも、修理することもできたのです。しかし、政府は何もしなかった。

私のもとには、このような状況に直面した多くの当事者や家族からの相談が続いています。その多くは、明日を求めているけれど、どこに助けを求めていいのかわからない人たちです。「自分も、ひきこもりという極限《きょくげん》状況の中で自《じ》暴《ぼう》自《じ》棄《き》になっていて、何をしてしまうかわからない」と語る人もいます。

政府や各自治体は、速やかに対応すべきです。それを放置すれば、同様の事件はさらに増えていきます。

追記

これについては、私の高校時代からの友人である浜田昌良《はまだまさよし》参議院議員らが中心となり、公明党がいち早く取り組みました。

２００６年には、約62万人いると言われた「ニート」と呼ばれる若者たちの自立支援の拠点《きょてん》として、全国に25カ所の「地域若者サポートステーション」を立ち上げました。その数は、すでに１７７カ所まで増えています。同時に、彼らの就労を支援する中小企業などには助成金を、さらに正規雇用した場合には報奨金《ほうしょうきん》を出しました。これによって約10万人の若者たちの社会復帰と雇用が確保されました。

また、これとは別に、若者たちの就労支援の拠点となる「ジョブカフェ」を全国に展開し、１５０万人の若者たちの就労の後押しとなりました。

とくに、「８０５０問題」の解決に向けては、安倍政権が着手しようとしていた「就職氷河期世代活躍支援プラン」に対し、公明党が与党として「長期のひきこもりの方々も含めた支援も見据《みす》えないといけない」と提言。２０２０年には、生活困窮者自立支援法の中に「ひきこもり（８０５０問題等の複合課題）支援」が組み込まれました。

しかし、まだまだ十分な対策がなされているとは言えません。政府は、さらにこの問題の解決を加速させるべきです。

少年法改正は、犯罪を増やす

２０１８年６月、「民法の一部を改正する法律」が成立しました。これによって成年制度が変わり、周知期間を経《へ》て２０２２年４月１日から成年年齢が18歳に引き下げられます。

また、年齢要件を定める民法以外の関連法令についても、必要に応じて18歳に変更されます。たとえば、親の同意を得なくても、本人同士の意思で男女ともに18歳から結婚できるようになります。ただし、飲酒や喫煙については現状どおり、20歳からです。

こうした流れの中で、政府および法務省では、少年法の適用年齢を20歳から

18歳に引き下げようとする動きが進んでいます。

みなさんは、これをどう考えますか。

これまで少年による多くの凶悪《きょうあく》犯罪が報道されてきたこともあり、多くの人は賛成だと思います。しかし、私は反対です。

18歳、19歳を未成年（少年）と見なす現行の少年法では、殺人などの凶悪犯罪の場合、家庭裁判所から地方裁判所などに送致《そうち》され、成人と同様の処罰を受けるケースはありますが、ほとんどの場合、まずは少年鑑別所《かんべつしょ》に収容されます。そこで3～4週間、家庭裁判所の調査官により、事件を起こしてしまった動機や生育環境、家庭の状況など、その少年の性格についてや更生《こうせい》するために必要な調査が行われます。それをもとに、学校や児童相談所とも相談のうえで、児童自立支援施設や少年院などへの送致、試験観察や保護観察処分などを行い、その少年の更生を図《はか》っています。

しかし、18歳、19歳が成年とされれば、そのような矯正《きょうせい》教育を受ける機会を失い、そのまま警察から検察に送致されることになります。窃盗《せっとう》などの微罪の場合は、その7割弱が起《き》訴《そ》猶予《ゆうよ》、刑事事件として立件された場合でも、その多くは執行猶予付きの判決で社会に戻ることになります。

これは、「少年犯罪の背景には家庭環境や生育環境などの原因があり、それを変えていかないかぎり、更生の手助けにはならない」という、これまでの矯正主義の観点から見れば、多くの少年がその機会を奪《うば》われることになります。極論《きょくろん》ですが、もとの劣悪《れつあく》な環境に戻されて再犯を繰り返すことになりかねません。もっと厳しくいえば、わが国で犯罪が増加する原因ともなります。

また、別の問題もあります。

現行の少年法では、未成年が犯罪を犯した場合、その氏名を報道されることはありません。しかし、少年法の適用年齢が18歳に引き下げられると、仮に、高校3年生の3人（1人は18歳、2人は17歳）が同じ罪を犯した場合、18歳の1人については氏名が公表され、あとの2人については非公表となります。これは、学校での処分やその後の人生について、不平等を生むことにはならないでしょうか。

いずれにしても、少年犯罪が急激に減少しているいま、少年法の適用年齢を民法との整合性だけのために18歳に変更することは、多くの問題はあってもメリットは存在しません。民法の成年年齢の改正後も、飲酒や喫煙については20歳からとするのと同様に、少年法についても現行のままにすべきだと思います。

追記

２０２０年、少年法の適用年齢については、成年年齢の変更後も現行どおり、20歳未満とすることが報道されました。ただし、18歳、19歳の少年の重大犯罪については、これまで以上に厳罰化することになりそうです。これについては、世論の動向から判断してやむを得ないと考えています。政府および法務省は適切な判断をしたと評価できます。

また、この決定には政府与党の「少年法検討プロジェクトチーム」が大きな役割を果たしてくれたことに感謝します。

菅首相へお願いです

国会で「桜を見る会」（安倍晋三前首相主催）が問題になっていました。本来、この催《もよお》しは「各界において功績、功労のあった方々を招き、日ごろの労苦を慰《い》労《ろう》するため」に行われる内閣の公的行事です。しかし、そこに首相・首相夫人以下、政治家の推薦による多数の支援者や、一部の報道によれば、反社会的勢力も参加していたとされています。

２０１８年度の「桜を見る会」には、私たち国民の税金から５２２９万円が支出され、２０１９年度は当初予算の３倍となる５５１８万円が使われたと報道されています。首相たちによる税金の私的利用と糾弾《きゅうだん》されても当然です。ことばは汚《きたな》いですが、「他人の金で飲み食いする」――こんなことが許されていいはずがありません。

現在、日本では７人に１人の子どもたちが、３食の温かい食事を摂《と》ることができず、また、家庭の貧困《ひんこん》によって、進学などの進路を変えなくてはならない状況になっています。

私と仲間たちは、数年前から全国で「子ども食堂」を開設し、まずは子どもたちの命の源《みなもと》となる食事を提供し続けてきました。ほとんどの「子ども食堂」では、子どもはだれでも無料。親や地域の高齢者の人たちは、場所によりますが２００円程度の実費をいただき、運営しています。

現在、通年で定期的に食事を提供できる「子ども食堂」は、全国で４０００カ所以上まで増えました。また、小・中学生にとって給食がなくて一番つらい、夏休みを中心とする学校の休業期間には、さらに多くの「子ども食堂」が全国で活動しています。２０２０年の夏休みには、およそ1万カ所で子どもたちの命を守りました。

しかし、「子ども食堂」に対する公的支援はほとんどなく、あっても公民館などの使用料や光熱費の無償提供程度です。ボランティアが動きますから人件費はかかりませんが、米や食材については、多くの人たちや地域の企業、商店からの寄付で何とか運営しています。1食にかかる経費は１００円程度です。しかも、そこで提供できる食事は「桜を見る会」で出されたような豪華《ごうか》なものではありません。カレーやシチュー、牛丼や親子丼など、かぎられたものしか出すことができません。それでも、子どもたちは大喜びで食べてくれます。その笑顔が、私たち関係者の一番の喜びです。

菅《すが》首相にお願いです。

本当は、きちんと食事を摂ることのできない全国の子どもたちを「桜を見る会」に招いてほしいのですが、それが無理なことは承知しています。それなら、「桜を見る会」を廃止し、その予算を全国の「子ども食堂」に提供していただきたい。あるいは、みなさんが美しい桜の花の下で楽しんだ、それこそ私たち庶民《しょみん》は見たこともないような豪華な食事を、毎年数十カ所ずつでもいいので、全国の「子ども食堂」に提供していただきたい。それを見たときの、それを味わったときの、子どもたちのとびっきりの笑顔。それこそが、明日の日本をつくる大きな力となります。

追記

報道によれば、２０２１年の「桜を見る会」は中止となったようです。新型コロナウイルス感染拡大のためか、国民の目が厳しくなったためか、理由は明確ではありませんが、少しは、税金の無《む》駄《だ》遣《づか》いが減ったようです。

この「桜を見る会」に関しては、前日にホテルで開催された安倍晋三後援会の夕食会の会費を安倍事務所が補塡《ほてん》していたことから、公職選挙法や政治資金規正法に違反する可能性を指摘されていました。

２０２０年12月、東京地検特捜部は安倍前首相に任意事情聴取を行い、公設第一秘書（後援会代表）を政治資金規正法違反で略式起訴。安倍前首相については嫌疑《けんぎ》不十分で不起訴処分となりました。このまま、何のお咎《とが》めもなく、議員生活を続けていくことになるでしょう。それどころか、また首相として復活するかもしれません。

私は、それをとやかく責める気はありません。でも、一国の首相を務《つと》めた人ならば、この国の明日を担う子どもたちの多くが貧しさの中で苦しんでいることを忘れないでほしい。そして、そんなお金があるならぜひ、子どもたちのために使ってほしいのです。これは、無理な注文でしょうか。

この国には、高級ホテルでの会食など一生できないかもしれない子どもたちがたくさん存在します。1杯のカップラーメンすら、3食食べることのできない子どもたちも存在するのです。

子どもたちの貧しさはいったい、だれの責任でしょうか。多くの人は「親の責任」と答えると思います。本当にそうでしょうか。

私は、政治の誤りだと考えます。

本来、政治の目的は、一部の国民を金持ちにすることや国家として世界に覇《は》権《けん》を拡げることではありません。すべての国民を幸せにすることです。安倍前首相は、それができなかったようです。

菅首相にはぜひ、この政治の原点から、すべての子どもたちを幸せにする政治をしていただきたい。

大学入試制度改革は、何のために、だれのために

現在、大学入試制度改革が大きな問題となり、高校の教育現場や高校生たちを混乱させています。この大学入試改革制度は、何のために、だれのために行われるのでしょうか。

私は、受験生たちのためではないと感じています。また、この改革を問う前に、問われなくてはならないことがあると考えています。

現在の大学入試制度では、国公立大学や一部の私立大学受験に必要なセンター試験（2021年からは共通テストに変更）の受験料は1万8000円です（2科目以下の受験の場合は1万2000円）。そして、2次試験は1万7000円で

す。また、私立大学の受験料は、おおむね３万５０００円となっています。国公立大学を２校受験する場合は５万２０００円、もし、私立大学を４校受験すれば、それだけで14万円の費用が必要です。この受験料は何を根拠《こんきょ》に決められているのでしょうか。

独立行政法人・大学入試センターの損益計算書を見るかぎり、膨大《ぼうだい》な外部委《い》託《たく》費や賃借料《ちんしゃくりょう》、職員給与、旅費交通費などをカットしていけば、センター試験自体は数千円で実施することが可能です。また、私立大学の受験料はなぜ、３万５０００円もかかるのでしょう。

私は大学の教員ですから、そのからくりを知っています。ほとんどの大学にとって入学試験は収益《しゅうえき》の基盤となっています。入学できない生徒たちからも大学の運営資金を取る。これは許されることではありません。地方受験を実施しない大学ならば５０００円以下で、地方都市での受験を実施する大学でも１万円以内で実施可能です。まずはここを整理して、生徒たちの一生を左右する大学入試を、大学や関係機関の営利行為の1つとするのではなく、実費で行うべきです。みなさん、企業の入社試験を考えてみてください。入社試験で受験料を徴収《ちょうしゅう》する企業がありますか。

今回、国が行う大学入試制度改革は、英語の試験への民間の参入、ほかの教科での論文試験の実施など、受験生に対し、さらに多額の費用負担を強《し》いることとなります。あってはならないことです。いったい、だれが得するのでしょうか。ここに文部官僚や一部の国会議員、一部の企業の黒い影を見るのは、私だけでしょうか。

私は、大学入試はそれぞれの大学が独自に、その大学での学習を求める生徒たちに対して行う適性試験とすべきだと考えています。その受験料は、それぞれの大学のかけた経費負担を求めるものであるべきです。もし、その経費を国が負担することになれば、受験生は無料で受験することができます。私はこれこそが、この国の大学入試制度のあるべき姿だと確信しています。

追記

現在、多くの高校生は複数の大学を受験します。合格した場合、大学・学部によって異なりますが、平均して国公立大で30万程度、私立大の場合は40万円程度の学納金（入学金・施設費など）を納めなくてはなりません。これは納付後に入学を辞退《じたい》した場合でも返還されません。

もし、私立大学５校を受験してすべてに合格し、最後に合格した大学に進学したとすると、ほかの４校分の学納金（１００万円以上）を失うこととなります。私は、これはおかしいと考えます。入学しない生徒からお金をむしり取る、ひどい行為です。

実は、この問題は２０００年ごろから各地で「学納金返還訴訟《そしょう》」として争われました。しかし、２００６年に最高裁判所で下された判決では、学納金について「入学辞退の時期を問わず、一般的に返還請求はできない」とされました。

私は、この判決は間違いだと考えています。少なくとも、日本の子どもたちが平等に教育を受ける権利を阻害《そがい》しています。この問題について国や文部科学省は再考してほしい。

一方、授業料については「授業という大学からのサービスを受けないことになるため、返還請求は可能」との判決が下されました。また、大学側で「納めた授業料は返還しない」という特約事項がある場合でも、「入学年度が始まる4月1日より前に入学辞退を申し出た場合は、返還請求が可能」としています。

大学は、この学納金が何のために必要で、どのように使われているのかを、資料を提示してきちんと説明してほしいし、説明責任があると考えます。その全額が、入学する予定だった生徒の入学準備のための事務費として使われたなら文句は言いません。しかし、その一部でも、その他の支出があった場合は話が違います。その分を減額して金額設定をしてほしいと考えます。

教育者とは

明治時代に日本の近代教育が始まった１８７２年から太平洋戦争が終戦を迎えた１９４５年まで（一部地域では１９４７年に日本国憲法の下で学校教育法が制定されるまで）、日本の社会全体、また国民のほとんどが「教育は天皇の赤子をお預かりし育てる聖職《せいしょく》」と捉《とら》えていました。そして、教員は多くの国民から尊敬・信頼され、それに応えるために命をかけて必死に働きました。

これは天皇主権の時代ならば当然のことでしょうが、現在の国民主権の時代においては時代錯誤《さくご》の考え方です。ただし、この教師＝聖職論の下、当時の多くの教員がその重い責任を自覚して、自らに倫理的在《あ》り方を厳しく課したことは評価されるべきだと、私は考えます。

戦後の教育は、この教師＝聖職論のような権威《けんい》主義《しゅぎ》に基づく教育からの離脱《りだつ》、つまり、教育の民主化から始まりました。児童・生徒・学生も教員と同じ対等な人間であり、教育は権威や強制によるものではなく、互いの理解の中で行われるべきだという考え方です。

その一方で、教育は労働であるという考え方も広がってきました。教育者は、自分の時間と知識を提供し、その対価として給与を得る労働者だという考え方です。私は、まさにこうした中で32年間、教育現場に身を置いてきました。そして、いつもこの教育労働論に違和感を感じていました。

子どもたちは、その起きている時間のほとんどを学校で過ごします。生きていくうえで糧《かて》となる知識や技術だけでなく、1人の人間としての在り方、公民としての在り方、善悪や人生について、そこで学んでいきます。知識や技術は当然、授業を通して学びますが、それ以上に、最も身近な大人の1人である教員の考え方や生き方から多くを学んでいきます。だからこそ、教員は単に知識が豊富で指導が上手であるだけではなく、人間としても優《すぐ》れた存在でなくてはならない。子どもたちから信頼され、尊敬される存在でなくてはならないと私は考えてきましたし、そうありたいと、日々、努力・研鑽《けんさん》を続けてきました。これは、私にとってはあたりまえのことでしたが、仲間の教員たちからは多くの批判を受けました。

このところ教員による不祥事《ふしょうじ》が絶えません。未成年者の買春、児童・生徒への暴力、飲酒運転など、教員による犯罪が、ほとんど毎日のように絶え間なく報道されています。その背景を理解できないことはありません。残念ながら現在、教育という仕事はブラック（過剰労働）な仕事です。教員は授業を教えるだけではなく、放課後や休日の部活動指導、児童・生徒の生活指導、家庭訪問と、休む間もなく働かざるを得《え》ない、厳しい労働環境に置かれています。

私も、かつて全日制高校で部活動の指導者だったとき、1年間で休むことができたのは12月31日と1月1日だけでした。朝7時には学校に入り、学校を出るのは夜10時過ぎ。当時はそれがあたりまえで、そのように働かなければ、生徒や親どころか教育委員会や仲間たちからも「サボっている」「怠《なま》けている」と批判されるような状況でした。

そのような環境で疲れ果てた教員が、このような不祥事を起こしているという人たちもいますが、この論理は本末転倒《ほんまつてんとう》です。不祥事と過剰労働を強《し》いられる教育現場の問題は、まったく違う問題です。

教員が疲弊《ひへい》していくこの状況は、教員の人員増、部活動の外部委託《いたく》、1クラスの定員減など、政治的に解決していかなければならない問題です。また、教員自身も、その労働が自分にとって限界ならば、できないことはできないと言わなくてはならないし、それでも強いられるならば、それを訴えれば済むことです。一方でさまざまな不祥事は、それを起こした教員1人ひとりの人間としての在り方やモラルの問題です。

みなさんにお聞きしたい。

貧しくてお腹《なか》がすいたからといって、万引きすることは許されることですか。いじめられたからといって、相手を傷つけることは正しいことですか。そうではないでしょう。貧しさをまわりや公的機関に訴えて、救いを求めるべきだし、いじめをまわりに訴えて、解決を図るべきでしょう。

いまこそ、すべての教員に「教育とはどのような営《いとな》みなのか」「教員はどうあるべきなのか」を考えてほしいと思います。そして、単なる労働者に留《とど》まらず、人間として、人生の先輩として、また、あるべき人間の模範として、子どもたちからも社会からも尊敬される存在となってほしいと切望します。子どもたちは、そのような教員を待っています。

追記

私が、この原稿をネットニュースに載せたとき、すさまじい数の反論が届きました。その意見の大半は、私が十分納得できるものでした。いかに多くの現場の教員たちが、過重労働《かじゅうろうどう》の中で心を病み、休職しているか。また、それに耐えることができず、自ら命を絶つ教員も出ています。そうした現実を、私も知っています。

このような中で、教師＝聖職論を振《ふ》りかざした私の原稿は、「命を捨てても、あるいは家庭や自らの心、身体を壊しても働け！」と言っているように思われたのだと思います。ただ、わかってほしいのは「教員は労働者だ」ということは、否定しようもない事実です。その意味で、国は教員の労働環境を整え、過重労働をなくす解決策を速やかに施行《しこう》すべきです。

一方で教員は、児童・生徒に人としての在り方や善悪をきちんと教えなくてはなりません。少なくない家庭が教育の場として崩壊しつつある現在、それを学校や教員が担《にな》うしかないと私は考えています。ただし、それは、1人の人間として……。

私は、いまから30年前に「夜回り」を始めました。夜10時に定時制高校が終わってから朝方まで夜の町を歩き続け、そして夜の町にたたずむ多くの子どもたちと触れ合い、彼らを昼の世界に戻してきました。教育委員会や教職員組合からは、何度もやめるように言われました。

「何かあっても、労災《ろうさい》にはならない」

「君がそんなことをしていると、それをしていない教員はサボっているように見られる。迷惑だ」

私は、いつもこう答えました。

「私は横浜市の職員として、あるいは教員として〝夜回り〟をしているのではありません。1人の子どもたちのことを心配する人間として回っているのです」

そして、いままで「夜回り」を続けてきました。

教員は、教員である前に1人の人間です。私は、すべての教員たちに、1人の人間として、子どもたちのために、自分自身が尊敬される存在になってほしいのです。これは間違っているのでしょうか。

あとがき

この本は、２０１９年から２０２０年にかけて、私が「まいどなニュース」（神戸新聞）に寄稿した原稿をもとに、新たに加筆・修正、編集・再構成して完成したものです。

振り返れば、この2年間、世界は激動の時代でした。世界中で新型コロナウイルスの感染が拡大し、多くの命を奪《うば》い、いまだにその収束《しゅうそく》が読めません。アメリカでは共和党のトランプ政権が倒れ、民主党のバイデン政権が誕生しました。日本でも安倍政権から菅《すが》政権へと変わりました。こうした中で私たちの生活様式や労働形態、社会全体の在《あ》り方そのものが急速に変化しています。

近年では、私たちが情報を手に入れる報道の形態も変わってきています。かつては新聞やテレビが報道の中心を担《にな》っていました。しかし、いまやネットニュースがその中心となりつつあります。

報道はよく「第4の権力」と呼ばれます。立法、司法、行政という国家の三権に次ぐ権力であって、国民の動向に大きな影響を与えることから、そう呼ばれてきました。報道は第2次世界大戦後の世界で、日本でも現代社会において、国民に対して常に正確な情報を提供し、政権や官僚《かんりょう》などの不正を暴《あば》き、政治を正してきたことから大きな力を手にすることとなりました。これはよかったことだと、私は考えています。

しかし、いま、その報道が大きな問題を抱《かか》えてきています。

インターネットが社会に普及・浸透《しんとう》する中で、多くの人がネットニュースから情報を得るようになりました。その反動で、新聞の発行部数は年々減っています。

この理由はよくわかります。ネットニュースは、ほかの媒体《ばいたい》と比べると、あっという間に、しかも無料で、リアルタイムの情報を手にすることができます。この即時性に対して、ほかのメディアは絶対に勝つことはできません。しかし、ここにこそインターネットの危険性が潜《ひそ》んでいるのです。

インターネットが私たちに提供する

情報はかぎりなく多岐《たき》にわたり、しかも膨大《ぼうだい》です。その結果、ニュース（つまり、報道）については、あくまでアウトライン（＝いつ、どこで、何が起きたか）を知らせるものにならざるを得ません。ほかの報道媒体とは異なり、その背景や原因、それが社会や私たちに与える影響について取材し、記事として書かれることはほとんどありません。そして、あっという間に消えていきます。

もし、ネットニュースのみで情報を得てしまうことになれば、情報量は増えますが、1つひとつの事件や社会現象についての深い分析と理解ができなくなってしまいます。

ある報道について、まずはインターネットで速やかに知り、それを新聞やテレビのニュースで詳しく知る。そして、集めた情報を自分なりに分析し、自分の知識とする。私は、報道をきちんと理解し、役立てていくためには、これが重要だと考えます。

最後に、報道の中にいる人間として、書いておきたいことがあります。それは、報道には2つの「一線」があるということです。

1つは、「必ず越えなくてはいけない一線」です。権力からの圧力や暴力などの危険がどれだけ降りかかることがあっても、報道しなくてはならないことがあります。言い換えれば、自分の立場や命が危険にさらされても、報道しなくてはならないことがあります。この一線を越えるのは、メディアや記者の「正義」の心です。

もう1つは、「決して越えてはいけない一線」です。そのことを報道すれば、より多くの人に読んでもらえる、あるいは見てもらえるとしても、報道してはいけないことがあります。簡単に言えば、それを報道することで、新聞や雑誌なら販売部数が増え、テレビなら視聴率が上がるとしても、報道してはいけないことがあるということです。この一線を守るのは、メディアや記者の「愛」の心です。

これと同じことは、報道を手にするみなさんの中にもあります。みなさん自身が、知らなくてはいけない情報と、知る必要もない、それどころか知ってはいけない情報を「正義」と「愛」の心で取捨選択《しゅしゃせんたく》し、お金のためだけにつまらない情報や人を傷つける情報を流し続けるメディアや報道媒体を相手にしない賢明《けんめい》さを持てば、自《おの》ずとそのような報道は消えていきます。1日も早く、そんな時代が来ることを願いながら、筆をおきます。

2021年2月

水谷 修（みずたに・おさむ）

水谷青少年問題研究所所長。1956年、神奈川県横浜市生まれ。上智大学文学部哲学科を卒業後、1983年に横浜市立高校教諭となる。2004年9月に退職。在職中から子どもたちの非行防止や薬物汚染防止のために「夜回り」とよばれる深夜パトロールを行っているほか、メール・電話による相談を続け、全国各地での講演活動も展開している。

夜回り先生 水谷修オフィシャルサイト どこまでも、生きぬいて
https://mizutaniosamu.net

装幀・カバーイラスト／藤原光寿
本文デザイン／安藤 聡
写真／奥谷 宏（P.253）
　　　PIXTA
挿画／櫻井紀邦（P.246）
資料協力／神戸新聞社『まいどなニュース』
　　　　　水谷青少年問題研究所
編集ディレクション／朝川桂子

たかがニュース　されどニュース
——報道《ほうどう》から見《み》える現在《げんざい》の日本《にっぽん》——

2021 年 5 月 20 日　初版第 1 刷発行

著　者　水谷《みずたに》　修《おさむ》
発行者　大島光明
発行所　株式会社　第三文明社
東京都新宿区新宿 1-23-5
郵便番号　160-0022
電話番号　03（5269）7144（営業代表）
03（5269）7145（注文専用）
03（5269）7154（編集代表）
振替口座　00150-3-117823
印刷・製本　藤原印刷株式会社
U R L　https://www.daisanbunmei.co.jp

ISBN 978-4-476-03398-4